PROFIL D'UNE ŒUVRE

Collection dirigée par Georges Décote

✓ W9-BKQ-286

TARTUFFE

MOLIÈRE

Analyse critique

par Pol GAILLARD,
agrégé de l'Université,
maître-assistant à
l'Université de Paris X - Nanterre

HATIER

DU MÊME AUTEUR

Le Résumé de texte au baccalauréat, aux brevets, au DEUG, aux concours (Coll. Profil Formation, Hatier).

Candide de Voltaire (Coll. Profil d'une œuvre, Hatier).

La Peste de Camus (Coll. Profil d'une œuvre, Hatier).

L'Espoir de Malraux (Coll. Profil d'une œuvre, Hatier).

Les Précieuses Ridicules et les Femmes Savantes de Molière (Coll. Profil d'une œuvre, Hatier).

Liberté et Valeurs morales (coll. Profil Philo, Hatier).

Albert Camus, Sa vie, son œuvre, sa pensée, son art (Coll. Présence littéraire, Bordas).

André Malraux, Sa vie, son œuvre, sa pensée, son art (Coll. Présence littéraire, Bordas).

Les critiques de notre temps et Malraux (Garnier).

Le Mal, de Pascal à Boris Vian (Coll. Thématique, Bordas).

Les clés de l'orthographe (Delagrave).

Fables de La Fontaine, Anouilh, Prévert, Desnos, Devos, etc. (Coll. Œuvres et Thèmes, Hatier).

Fabliaux du Moyen Age, Contes d'hier et d'aujourd'hui (Coll. Œuvres et Thèmes, Hatier).

Grands thèmes actuels de Victor Hugo (Coll. Œuvres et Thèmes, Hatier).

Les Contemplations de Hugo (Coll. Profil d'une œuvre, Hatier).

Les Misérables de Hugo (Coll. Univers des Lettres, Bordas).

Les Châtiments et l'Année terrible de Hugo (Coll. Univers des Lettres, Bordas).

Le Mariage de Figaro de Beaumarchais (Coll. Univers des Lettres, Bordas).

Horace de Corneille (Coll. Univers des Lettres, Bordas).

DISQUES DE THÉÂTRE (réalisés avec Alain Barroux: Bordas) ; *Le Cid, Horace, Polyeucte; Andromaque, Britannicus, Iphigénie, Phèdre; L'Avare, Les Femmes Savantes, Le Misanthrope, Les Précieuses Ridicules, Tartuffe; Les Caprices de Marianne, Lorenzaccio; Ruy Blas; L'Odyssée*

avec

Michel Bouquet, Maria Casarès, Alain Cuny, Bérengère Dautun, Renée Faure, Fernand Ledoux, François Maistre, Jean Négroni, Geneviève Page, François Périer, Claude Rich, Catherine Sellers, Laurent Terzieff, Jean-Louis Trintignant, Pierre Vaneck.

Cette collection a reçu « le Grand Prix International de l'Académie Charles Cros ».
Le Cid, Tartuffe, Phèdre, Ruy Blas ont reçu le prix « Interclubs ».

THÉÂTRE

Denis Asclépiade, créé par Michel Vitold et Marc Cassot (Éd. M.-Ph. Delatte, 15, rue Gustave-Courbet, Paris XVIᵉ), prix Chevalier de la Barre.

Les Taupins, créé par Marie Dubois.

Vénus ou l'Amour forcé, créé par Robert Porte.

Docteur Gundel, créé par Guy Tréjean.

Le Pont de Lianes, créé par Med Hondo.

Le Drame de Vauban, créé par Jean Gaven et André Falcon.

Le Recteur de Séville, prix Arts et Lettres 1977.

© HATIER PARIS 1978

ISSN 0750-2516   ISBN 2-218-04170-7

Sommaire

Actualité de « Tartuffe »

« *Un dévot*, écrit La Bruyère en 1692, *est celui qui sous un roi athée* serait *athée.* » Par scrupule ou par malice, La Bruyère précise en note « *un faux dévot* », mais il ne corrige pas la phrase elle-même[1], qui sera même souvent imprimée sans la note. A cette date par conséquent[2], comme l'attestent d'ailleurs un grand nombre de textes contemporains, le mot *dévot* est devenu presque entièrement synonyme d'hypocrite ; un hypocrite d'un genre particulier, il est vrai, un *hypocrite persuadé,* si l'on peut dire, un hypocrite qui a tellement vécu et intégré son hypocrisie qu'elle est devenue en quelque sorte sa nature même[3], qu'il ne peut plus vivre, penser, parler, sentir autrement que le demande son attitude adoptée (mais sans cesser pour cela d'obéir à ses intérêts ou appétits les plus pressants !), un hypocrite à la fois dogmatique et cauteleux,

1. *Les Caractères*, XIII, 21 (édition de R. Radouant, Hatier, p. 514).
2. Vingt-trois ans avant, en 1669, Molière tenait à préciser nettement dans la liste de ses personnages : « Tartuffe, *faux* dévot ».
3. La Bruyère ne dit pas : « qui sous un roi athée *ferait semblant* d'être athée », il dit : « qui sous un roi athée *serait* athée ».

cynique et patelin, intransigeant et rusé, — un « pharisien »,
disait déjà le Christ dans les Évangiles, un « sépulcre
blanchi[1] ».

Il y avait déjà un certain temps d'ailleurs que les disciples
les plus fidèles de Jésus avaient cessé d'employer le mot
« dévot » pour se désigner eux-mêmes. Le terme, qui signifie
« *voué, dévoué* entièrement à la religion », leur paraissait
beaucoup trop prétentieux. Ils aimaient mieux répondre,
lorsqu'on les interrogeait sur leur orientation essentielle, qu'ils
essayaient simplement d'être « *chrétiens* », à la mesure de leurs
forces. C'est en tout cas ce que leur conseille avant comme
après *Tartuffe* le père Bourdaloue : « *On ne vous demande pas
d'être dévots*, dit-il, *on vous demande d'être chrétiens* » ; et
Boileau fait la même distinction à sa manière dans sa onzième
Satire :

Car d'un dévot souvent au chrétien véritable
La distance est deux fois plus longue à mon avis
Que du pôle antarctique au détroit de Davis[2].

Le mot « chrétien », lui, n'est pas devenu péjoratif[3].

UNE MALADIE AUX MILLE VISAGES

Mais la phrase de La Bruyère nous rappelle aussi, avec la
franchise la plus crue, que les « dévots » prospèrent sous tous
les régimes monolithiques, c'est-à-dire soumis à un seul
pouvoir, que ce soit le pouvoir d'un homme, d'un mouvement, d'une doctrine. Ce pouvoir n'a même pas besoin

---

1. « Malheur à vous, scribes et pharisiens hypocrites. Vous arrêtez au filtre un
moucheron, et vous avalez un chameau. Sépulcres blanchis, vous crevez
l'orgueil, et au-dedans vous n'êtes que pourriture ! Vous ergotez sur la loi, vous
condamnez pour des vétilles, et vous trahissez la justice, l'amour de Dieu, la
miséricorde, la foi. Vous êtes les fils de ceux qui ont tué les Prophètes. »
2. Comme on s'en doute, le détroit de Davis est situé à l'opposé du pôle
antarctique, tout près du pôle arctique ; on le trouve non loin de la
Nouvelle-Zemble.
3. Il l'avait été sous l'Empire romain (voir, en particulier, les vers de Corneille
dans *Polyeucte*, acte III, scène 2) mais dans un contexte historique totalement
différent. Les païens étaient alors la grande majorité et, par intolérance,
accusaient de tous les crimes l'ensemble de ceux qui prêchaient la religion
nouvelle. Voyez plus loin, page 13, une même accusation *globale* portée au
XVIIe siècle contre les deux catégories de libertins, pourtant fort différentes
l'une de l'autre.

d'être exclusif ; il suffit qu'il soit dominant, bien établi, qu'il procure les situations, la fortune, l'accès aux cercles en vue, la gloire. Il y a ou il y a eu des dévots francs-maçons sous un président de la République franc-maçon, des dévots gaullistes sous un gouvernement gaulliste[1], des dévots de l'*Opus Dei* sous le croisé Franco, des dévots de « Marx-Engels-Lénine-Staline » sous la tyrannie du génial père des peuples, des dévots du *Petit Livre Rouge* sous le grand timonier Mao. Il y a eu en 1942 des dévots de Pétain qui dénonçaient dévotement les Juifs et s'appropriaient leurs biens, il y a eu en septembre 1944 de tardifs dévots de la Résistance qui stigmatisaient comme les pires criminels des gens qui s'étaient simplement trompés[2].

Presque tous les écrivains français nous ont prévenus : « La colère des dévots est terrible... Ils prennent leur haine contre vous pour la preuve que vous ne valez rien », dit Marivaux[3], et Montesquieu constate : « La dévotion trouve toujours pour faire une mauvaise action des raisons qu'un simple honnête homme ne saurait trouver[4]. » Avant même Molière, Pascal s'était exclamé, après avoir prouvé qu'ils étaient capables d'aller jusqu'au meurtre : « Je ne sais même si on n'aurait pas moins de dépit de se voir tuer brutalement par des gens emportés que de se sentir poignarder consciencieusement par des gens dévots[5]. » « Méfiez-vous, ce sont gens implacables » ;

---

1. Il faut les distinguer de ceux qu'on appelle « théologiens » parce qu'ils se sont institués eux-mêmes interprètes brevetés de la pensée de De Gaulle disparu.
2. Bien entendu, ceux qui veulent ou acceptent des « responsabilités » publiques sont « responsables » de leurs actes publics et il est juste qu'il leur en soit demandé compte. Des actes criminels doivent toujours être punis ; mais la négation du « droit à l'erreur » conduit tout droit au fanatisme.
3. *Le Paysan parvenu*, III.
4. *Mes pensées*, chapitre *Sur l'homme* (Grasset).
5. Pascal, *Septième Provinciale*. On pourrait multiplier les citations, elles sont innombrables :
Rousseau : « Ce qui m'a donné le plus d'éloignement pour les dévots de profession, c'est cette âpreté de mœurs qui les rend insensibles à l'humanité, c'est cet orgueil excessif qui les fait regarder en pitié le reste du monde. »
Victor Hugo : « MM. les orateurs dévots ont en général des natures méchantes. Beaucoup de fiel. On demande : « Est-ce *quoique* ? ou *parce que* ? » Moi je dis : *parce que* » (Portefeuille politique).
Pour ne pas être en reste, François Mauriac a stigmatisé les dévots rationalistes et humanistes : « Un rationaliste est plus près qu'un dévot de Tartuffe. Il rajuste sans cesse son Dieu (la raison humaine) à l'exigence de sa passion. Il est plaisant de voir nos humanistes tailler leurs principes sur mesure... Tartuffe se trouve chez eux plus souvent que chez nous » (*Journal*, 1934).

cette fois le conseil est de Louis XIV lui-même, rapporté dans la *Correspondance* entre Boileau et Brossette.

Car il y a aussi des dévots sous un roi qui ne l'est pas, bien entendu. Louis XIV n'est pas dévot dans les années 1660, pas du tout[1] : la phrase précédente le dit assez. S'il l'avait été, *Tartuffe* n'aurait jamais vu le jour. Louis XIV, même, les déteste, comme Mazarin, comme Colbert, il doit se défendre contre leurs intrigues... Mais précisément pour cela, Tartuffe, dans les années 1660, n'a pas choisi le terrain politique. Il n'est pas *ambitieux* au sens exact du mot, il ne brigue aucune charge officielle, aucun poste voyant. S'enrichir par l'État est peu sûr, l'État est trop divers, trop « public », on y est trop en vue. Une famille riche au contraire n'a parfois aucune défense ; on peut s'en approprier dans le secret l'argent, la femme et les filles, le confort ; on peut même savourer la jouissance un peu sadique de « diriger des êtres », de les imprégner tout entiers. A quoi bon le travail et les peines donc, la dévotion suffit !... Et la dévotion suffit aussi à protéger en cas de coup dur. Le parti essaie toujours d'étouffer le scandale lorsqu'il va toucher un de ses membres !... Tartuffe, apparemment, a bien choisi.

La pièce de Molière pourtant, lorsqu'on l'étudie avec attention, nous renvoie de nouveau aux observations paradoxales données plus haut : le plus hypocrite des hommes ne peut jamais l'être tout entier ; chacun de nous a besoin d'être lui-même. Le charlatan croit à ses drogues !... Tartuffe est probablement en partie sincère, en partie déchiré, en partie « chrétien ». Il joue son personnage, mais il le devient. Il aime Elmire comme un homme à femmes, mais vraiment aussi comme un dévot. Ce méfiant finit toujours par croire à la sincérité des autres, il se laisse rouler par l'Exempt comme par la femme d'Orgon ; il va en personne quérir la justice, — qui l'enferme !

1. Il ne le deviendra que plus tard, en grande partie sous l'influence de Madame de Maintenon.

TARTUFFE A CHANGÉ

C'est pourquoi il faut se garder ici, comme toujours, des jugements trop prompts et sans nuances.

Tartuffe était au XVIIᵉ siècle *une pièce d'actualité*, comme le reconnaît nettement l'ami de Molière qui a écrit pour le défendre en 1667, aussitôt après la deuxième interdiction, la *Lettre sur l'Imposteur*[1]. On ne peut pas l'étudier sans rappeler ce qu'était la société française à cette époque. Et *Tartuffe* est encore aujourd'hui *une pièce d'actualité,* la plus jouée d'ailleurs, avec *Dom Juan,* de toutes les œuvres de Molière.

Mais ce n'est plus la même actualité ! Les tentatives pour adapter la pièce ont toutes échoué, que ce soit *Le Tartuffe révolutionnaire,* après Thermidor[2], *Un homme habile,* sous Charles X[3], ou, en 1975, *Derrière le rideau* (peinture d'un grand écrivain communiste hypocrite[4]). Stendhal, au contraire, dans *Le Rouge et le Noir*[5], et à un moindre degré François Mauriac dans *Asmodée* et *Passage du Malin,* ont réussi parce qu'ils ont créé des personnages tout différents[6]. On ne se baigne pas deux fois dans le même fleuve.

1. La *Lettre* est signée C. Il peut s'agir de Chapelle, de Cureau de la Chambre...

2. La pièce de Népomucène Lemercier fut jouée au Théâtre-Français en juin 1795. Tartuffe poursuivi se réfugiait chez un républicain, essayait de suborner sa femme, et le dénonçait pour le faire périr sur l'échafaud.
3. Le régime s'y prêtait pourtant : « A aucune époque du XVIIᵉ ou du XVIIIᵉ siècle le *Tartuffe* n'a pris plus d'importance et n'a paru plus actuel que de 1815 à 1830. Une des manifestations les plus ordinaires de l'esprit dit alors « libéral » consistait à réclamer *Tartuffe* au théâtre... » Cette opinion d'Albert Thibaudet dans son *Stendhal* est totalement confirmée par la lecture des journaux du temps, de quelque opinion qu'ils soient. La pièce *Un homme habile* est de J.-B. d'Épagny. Furey écrivit aussi *Le Tartuffe moderne,* mais c'est un roman.
4. Cette comédie de Joseph Breitbach, créée au Théâtre de la Renaissance, a été publiée chez Émile-Paul avec une préface de Jean Cau. *« La pièce sur les tartuffes marxistes »* portait la bande publicitaire. Cela n'a pas suffi à sauver une œuvre médiocre.
5. Il suffit de quelques lignes pour montrer les différences. « Julien prenait ses intentions pour des faits, et se croyait un hypocrite consommé. Hélas, c'est ma seule arme, disait-il ; à une autre époque, c'est par des actions parlantes, en face de l'ennemi, que j'aurais gagné mon pain. » Mais Julien Sorel n'en prend pas moins « Tartuffe comme son maître » et il arrive à faire beaucoup mieux que lui chez M. de la Mole, il se fait aimer de Mathilde *comme hypocrite* : « Son machiavélisme la frappait. Quelle profondeur, se disait-elle. » Louis Aragon a consacré une belle étude à ce qu'il appelle très clairement « le Tartuffe de Stendhal » (Denoël).
6. Delphine de Girardin obtint un grand succès à la Comédie-Française, en 1853, avec une redoutable hypocrite du beau sexe, *Lady Tartuffe.*

Tartuffe est pour nous comme un homme qui a existé, qui est même devenu un type (les dictionnaires sont obligés de mettre le mot dans les noms communs et dans les noms propres), mais qui n'existe plus *tel quel*. Le chercher *tel quel* autour de nous est absurde, il a trop changé pour trouver encore des Orgon ! On doit étudier la pièce, je crois, comme on étudie une belle page d'histoire vivante, — engagée, suggestive, comique, — mais une page d'hier, qui ne désigne plus *directement* aucune personne ni aucune cabale, religieuse ou autre. Seulement « *ceux qui ne se souviennent pas du passé sont condamnés à le revivre* », dit Santayana[1] ; ceux qui n'ont pas scruté avec suffisamment d'attention la personnalité de l'étrange bonhomme risquent bien d'être un jour ou l'autre, mais d'une façon différente, « tartuffiés[2] ».

1. Poète et philosophe espagnol d'expression anglaise (1863-1952).
2. Vers 674.

Le cadre historique 1

On s'imagine parfois que les monarchies absolues n'ont pas d'histoire intérieure : tant que le régime reste totalitaire et la force d'un seul côté, il ne peut pas y avoir, semble-t-il, de conflit public puisque les libertés d'expression n'existent pas ; un jour peut-être, la pression refoulée sera trop forte ou le couvercle aura un défaut, la marmite sautera, mais jusque-là c'est le calme, l'ordre règne.

Il n'en est pas ainsi : les idées, les intérêts et les passions des hommes se manifestent quand même, indirectement ou directement, et souvent avec une très grande force. La violence latente, les interdictions, les condamnations, les morts, sont très visibles pour peu qu'on y regarde de près. L'évolution se poursuit et, de temps en temps, une œuvre d'art témoigne, expliquant les luttes secrètes.

En France, en 1660, la monarchie s'est imposée. Elle règne apparemment sans partage. Elle domine les trois ordres, y compris donc le clergé. Mais de quel droit ? — « *De droit divin* », c'est-à-dire au nom de Dieu, du Dieu de l'Église catholique. Le Roi ne peut régner que parce qu'il a été sacré à Reims et parce que l'Église catholique, seule Église officielle, commande de lui obéir sous peine de sacrilège, puni en ce monde et en l'autre.

Il y a donc, en fait, deux pouvoirs : Racine ne craint pas de le faire dire à Agamemnon dans *Iphigénie* en 1674 : le pouvoir temporel, quelle que soit parfois sa répugnance, doit obéir au pouvoir spirituel parce que c'est le pouvoir spirituel qui assure la soumission du peuple. Si le souverain résiste à l'Église,

pourquoi l'Église interdirait-elle de résister au souverain ?
   Quel frein pourrait d'un peuple arrêter la licence,
   Quand les Dieux, nous livrant à son zèle indiscret,
   L'affranchissent d'un joug qu'il portait à regret[1] ?

L'ÉGLISE ET LA ROYAUTÉ

La plupart du temps, les deux pouvoirs s'appuient l'un sur l'autre comme ils y ont intérêt. Ils se protègent réciproquement contre leurs ennemis : protestants, déistes, illuminés, frondeurs, libéraux, opposants de tous poils... Mais ils se surveillent avec au moins autant de méfiance, chacun craignant d'être assujetti par l'autre.

Les délégués royaux au Concile de Trente avaient nettement refusé l'établissement en France de l'Inquisition, qui assurait à l'Église, partout ou elle était installée[2], une puissance si redoutable.

La riposte de l'Église est simple. Rome dès lors, dans les conflits incessants entre « le Roi Très Chrétien » (de France) et « Sa Majesté Très Catholique » (d'Espagne), soutient quasi ouvertement la monarchie espagnole. Dès lors aussi Rome essaie d'installer en France, à côté des grands ordres religieux *supranationaux* comme les Jésuites, des sociétés secrètes qui se donnent exactement le même but que ceux-ci : défendre la vraie foi et la véritable Église ad « Majorem Dei Gloriam », œuvrer et combattre constamment, sur cette terre, « *pour la plus grande gloire de Dieu*[3] ».

Malgré les efforts de la Contre-Réforme, la religion apparaît en effet, à l'Église, menacée par un nouveau danger aussi grave et même plus grave encore peut-être que celui des huguenots : l'influence des libertins, à laquelle on n'avait pas

1. C'est la raison que donne Agamemnon à sa fille pour la sacrifier ; il ne veut pas risquer son pouvoir afin de la sauver (Acte IV, sc. 4).
2. C'est-à-dire en Italie, en Espagne et au Portugal tout particulièrement. Fondée en 1233 par le pape Grégoire IX, l'Inquisition ne fut supprimée définitivement en Espagne qu'en 1834. Voltaire l'avait dénoncée très efficacement dans *Candide* (chapitres V et VI ; voir sur ce point les renseignements donnés dans le *Candide* de la collection Profil d'une Œuvre, pages 31-33).
3. Tartuffe, lui, s'appropriera l'argent d'Orgon « Pour la gloire du Ciel et le bien du prochain » (vers 1248).

prêté assez d'attention au XVIᵉ siècle, obsédé que l'on était par les Guerres de Religion. Aujourd'hui, il importe d'exiger et d'obtenir contre eux l'intervention du pouvoir temporel, de les détruire avant qu'il n'aient grandi.

« LIBERTINS DÉNIAISÉS », « LIBERTINS DÉBAUCHÉS »

Qu'est-ce donc qu'un libertin ? Le mot vient de l'adjectif latin *libertinus*, formé lui-même sur le substantif *libertus*. Un *libertus*, à Rome, c'était un homme qui avait cessé socialement d'être esclave, un « affranchi », un futur homme libre. Par analogie, un « libertin » en France au XVIIᵉ siècle, c'est bien entendu aussi un *affranchi*, mais de quoi ?

— *Affranchi des superstitions populaires et des religions*, confessent discrètement un certain nombre de libertins ; ils se félicitent entre eux d'avoir réussi à « se déniaiser », on dirait aujourd'hui à « se désaliéner ». Mais ils vivent le plus souvent en humanistes fort convenables, déduisant leur art de vivre de l'expérience.

— *Affranchi de la morale comme de la foi*, proclament ouvertement les autres par leurs actions plus encore que par leurs paroles. Le plus célèbre sera Dom Juan, « grand seigneur méchant homme » qui jette par-dessus les moulins non seulement la fidélité et l'honnêteté, mais jusqu'à la loyauté la plus élémentaire. D'un égoïsme résolu, il ne se reconnaît de responsabilité envers qui que ce soit et il ne tient plus qu'à une chose, l'honneur de demeurer jusqu'au bout, impavide, celui qu'il est.

Bien entendu, entre ces deux catégories, les adversaires des libertins font « l'amalgame[1] ». On ne peut s'affranchir de la religion sans du même coup s'affranchir de la morale, affirment-ils ; tous ces soi-disant « déniaisés » sont en réalité des débauchés, des « pourceaux d'Épicure » qui essaient de

---

1. On appelle *amalgame* la pratique des régimes totalitaires qui consiste à faire juger *sous la même inculpation* des accusés en réalité très différents les uns des autres, pour essayer d'attirer sur tous la réprobation suscitée par les criminels véritables.

trouver dans la philosophie matérialiste antique une justification pour leurs débauches.

En vain l'abbé Gassendi et son disciple Sarazin rédigent-ils des *Apologies d'Épicure* pour rétablir la vérité sur le philosophe grec, expliquant en particulier ce qu'il entendait par « bien vivre[1] » : « *Il est impossible de bien vivre si on ne vit d'une façon réfléchie, morale et juste, ni de vivre d'une façon réfléchie, morale et juste si on ne vit bien.* » En vain Molière lui-même, disciple de Gassendi et traducteur de Lucrèce[2], se moque-t-il avec finesse dans *Tartuffe* de ceux qui appellent libertins tous les gens un peu perspicaces : « *C'est être libertin que d'avoir de bon yeux* » (vers 320). Peine perdue ! Le sens péjoratif s'imposera dans la langue. Le père Garasse a gagné, qui écrivait en 1623 dans *La Doctrine curieuse des beaux esprits de ce temps*, les différenciant soigneusement des « impies » et des « athéistes », affligés, eux, de tous les vices de Gomorrhe : « *J'appelle libertins nos ivrognets, moucherons de tavernes, esprits insensibles à la piété, qui n'ont d'autre Dieu que leur ventre, enrôlés en cette maudite confrérie qui s'appelle la Confrérie des Bouteilles.* » « Libertin » aujourd'hui ne signifie plus du tout « libre penseur », mais « homme sensuel un peu leste », dévergondé sans grand sérieux.

LA COMPAGNIE DU SAINT-SACREMENT

Cette même année 1623 pourtant, Théophile de Viau était bel et bien jeté en prison pour libertinage intellectuel et pour blasphèmes, non pas du tout pour ivrognerie. Il affirmait à son lecteur, au lieu de l'inviter à boire :

Mon esprit, plein d'amour et plein de liberté,
Sans fard et sans respect t'écrit la vérité.

Et il faut croire, bien qu'il soit mort en 1626 des suites de sa

---

1. L'expression avait été traduite par certains : « vivre voluptueusement », « vivre dans les voluptés ». — d'où l'accusation de luxure, un mot qui rimait d'ailleurs en français avec Épicure. « *Jamais philosophie ne fut plus calomniée* », constatera Diderot un siècle plus tard.
2. Grand poète latin épicurien du 1er siècle avant Jésus-Christ, auteur de *De la Nature des choses*. Un passage de la traduction de Molière sera intégré dans *Le Misanthrope*.

détention, que son influence était réellement très forte (les jeunes gens l'appelaient «Prince des Poètes», «Apollon du début de ce siècle»), car la fameuse Compagnie du Saint-Sacrement, celle qui obtiendra l'interdiction de *Tartuffe,* est créée moins de trois ans après la mort de Théophile, en 1629.

Oh! très discrètement. Ses statuts et ses consignes, révélés seulement 65 ans plus tard, en 1694, expliquent son titre. Aucune action ouverte. Les responsables de Paris envoient à leurs confrères de province *«un mémoire des moyens de se conformer à la vie cachée de Jésus-Christ au Très-Saint-Sacrement, à qui toutes les Compagnies qui portent ce nom doivent tâcher de ressembler par le secret et leur silence*[1]*»* :

«La Compagnie n'agit point de son chef, ni avec autorité, ni comme corps, mais seulement par ses membres, en s'adressant aux prélats pour les choses spirituelles, à la Cour et aux magistrats pour les choses temporelles... Elle excite sans cesse, à entreprendre tout le bien possible et à éloigner tout le mal possible, tous ceux qu'elle juge propres à ses fins sans se manifester elle-même[2].»

Aussi longtemps qu'elle le pourra, en effet, la Compagnie agira ainsi, dans l'ombre. D'une part, elle multiplie les œuvres charitables auprès des malades, des pauvres, des prisonniers[3], en veillant seulement à ce que cette charité ne soit pas perdue :

«Si l'on rencontre des pauvres qui ne soient pas suffisamment instruits aux principes de la foi, ou qui négligent de s'acquitter de leurs devoirs, on les avertira que, s'ils ne changent, on les abandonnera ; comme, en effet, si dans le mois suivant, ils ne se sont fait instruire et qu'ils ne rapportent le témoignage de celui qui les aura catéchisés, on leur refusera l'aumône jusqu'à ce qu'ils aient satisfait à ce que dessus[4].»

Mais, d'autre part, la Compagnie dénonce directement et discrètement aux évêques, — et aux juges ! — les individus, les groupements qu'elle estime dangereux ou suspects, et elle veille à ce que les affaires ne s'enlisent pas. Les résultats sont publiés sans commentaires, suffisamment édifiants dans leur sécheresse malgré le jargon administratif :

1. *Annales de la Compagnie du Saint-Sacrement* par le comte Voyer d'Argenson, p. 23.
2. *Annales de la Compagnie,* p. 114.
3. *«Si l'on vient pour me voir, je vais aux prisonniers*
Des aumônes que j'ai partager les deniers.» (Vers 855-856.)
4. *«Ordre à tenir dans la paroisse Saint-Sulpice pour le soulagement des pauvres honteux.»*

Arrêt du 8 mars 1655. Claude Poulain, dit Saint-Amour, « condamné à être tiré de la prison de Senlis à jour de marché et conduit nu en chemise, la torche au poing, la corde au col, attaché sur une claie au cul d'un tombereau, au-devant de la principale église de Senlis, et, là, faire amende honorable, puis être conduit au marché pour y être pendu et étranglé, son corps et son procès brûlés et réduits en cendres, et les cendres jetées au vent... ».

Arrêt du 19 juin 1655. Pierre Mercier, dit Maison-Rouge, tavernier, condamné à la même peine.

Arrêt du 19 août 1655. Pierre Bernier, condamné à être pendu et étranglé « pour avoir juré et blasphémé le Saint Nom de Dieu en jouant aux cartes et aux quilles ».

Etc.[1]

Le 1er septembre 1662 encore, deux ans avant *Tartuffe*, Claude Lepetit, avocat parisien, meurt sur le bûcher à 23 ans, le poing coupé, « pour avoir écrit des pièces de vers où l'on parlait sans assez de respect des puissances et de la religion établie ». Le 14 mars 1663, c'est le tour d'un pauvre illuminé, Simon Morin, condamné après avoir été espionné de toutes les manières, brûlé vif en place de Grève avec ses écrits. Il avait « abjuré » pourtant... En 1633, à Rome, Galilée avait été réduit seulement à la surveillance constante du Saint-Office[2]. La France, grâce à la Compagnie du Saint-Sacrement, n'avait plus besoin d'Inquisition.

RETOURNEMENTS SPECTACULAIRES

Naturellement, en 30 ans d'activités semblables, les confrères, qui n'étaient pas toujours d'une finesse extrême, avaient fini par se découvrir peu à peu, et ils s'étaient fait beaucoup d'ennemis. Des affaires graves éclatent à Caen, à Argentan, à Bordeaux, en Languedoc. Mazarin vomit « les dévots » car ils soutiennent en pleine guerre la cause de l'Espagne contre la France, ils intriguent contre lui auprès de la Reine-Mère. « *Tous ces prétendus serviteurs de Dieu sont en réalité des ennemis de*

1. La liste, qui est longue bien qu'incomplète, a été publiée à Paris chez le libraire Bessin en 1661.
2. Voir page 18, note 2.

l'État », dit-il[1]... Colbert rencontre déjà la « Cabale » partout, comme il l'appelle, et il ne s'étonnera guère plus tard, lorsqu'il épluchera les comptes fantastiques du surintendant des Finances Fouquet, de découvrir que celui-ci avait versé des « gratifications considérables aux principaux de la Compagnie ». « *Ces messieurs se mêlent de diverses affaires*, écrit le docteur Guy Patin, rapportant l'opinion commune... *Ils mettent le nez dans le gouvernement des grandes maisons, ils avertissent les maris de quelques débauches de leurs femmes — un mari s'est fâché de cet avis et s'en est plaint... Ils ont intelligence avec ceux de la même confrérie à Rome, se mêlent de la politique, et ont dessein de faire recevoir en France le Concile de Trente... plaintes en ont été faites au Roi[2].* »

Chez les écrivains, même aversion en général, qu'ils connaissent ou non l'existence précise de la Société. Le bon Corneille lui-même critique dans son *Imitation de Jésus-Christ* « *ces dévots indiscrets dont le zèle incommode* », et La Rochefoucauld constate sans ambages : « *La plupart des dévots dégoûtent de la dévotion.* » Quant à Molière, il les trouve en face de lui dès ses débuts : en 1643, M. Olier, curé de Saint-Sulpice, a fait expulser *l'Illustre Théâtre* du territoire de sa paroisse. Quatorze ans plus tard, alors que Molière croyait devoir bénéficier pendant longtemps de la protection et des subsides du prince de Conti, gouverneur du Languedoc, celui-ci se convertit brusquement et devient aussi rigoriste et ennemi des divertissements qu'il avait été généreux et favorable aux Lettres. Il coupe les vivres à la troupe, accuse les comédiens, fait le vide autour d'eux. « *Il se fait furieusement craindre de toute la province* », écrira encore Racine le 27 juillet 1662[3]...

Pareils retournements sont d'ailleurs assez fréquents. C'est le perspicace Saint-Évremond qui le remarque[4] : « *Dans la religion le plus libertin devient souvent le plus dévot* », — soit en toute sincérité, par « illumination » subite d'une âme portée

1. Quatrième *Carnet* de Mazarin.
2. Lettre du 28 septembre 1660.
3. La Compagnie hésita quand même à accepter le prince parmi ses membres, mais elle l'accepta.
4. Saint-Évremond (1614-1703), libertin lui-même, vécut pendant des années en exil à Londres. La phrase citée de lui se trouve dans son essai : *Sur la morale d'Épicure*.

aux choix extrêmes, soit pour échapper à des poursuites judiciaires (comme Renart partant pour la Croisade[1]), soit pour « faire une fin » ou par hypocrisie pure et simple ! *La crainte des fagots est très rafraîchissante*, disait Voltaire. Pour continuer secrètement ses recherches scientifiques et les faire passer en Hollande, Galilée avait accepté de dire en public ce qu'on voulait[2]. Dom Juan fait de même pour continuer sans être inquiété « ses douces habitudes » avec les femmes ! *Dès lors qu'on a pu lier, à force de grimaces, une société étroite avec tous les gens du parti, on est à couvert*, lui fait dire l'auteur de *Tartuffe*... *On voit, « sans (se) remuer, prendre (ses) intérêts à toute la cabale, (on est) défendu par elle envers et contre tous[3] »*.

ASSAUTS D'HYPOCRISIE

Molière n'exagère pas. Une chanson clandestine des années 1650[4] laisse penser que la tactique de Dom Juan n'était pas très rare :

> Puisqu'enfin il faut que je quitte
> Ce beau titre de débauché,
> Je veux devenir hypocrite,
> Crainte qu'il me manque un péché ;
> Et je prendrai la contenance
> De quelque cagot d'importance...
> Ah ! que je vais bien contrefaire
> Le visage d'un innocent !
> Je ne veux plus songer à plaire,
> Qu'au révérend Père Vincent[5]...

---

1. Voir *Le Roman de Renart*, Classiques Hatier, Œuvres et Thèmes, p. 85.
2. On lira avec intérêt, sur cette affaire, les deux versions de la pièce de Brecht, *Galilée*, jouée à Paris au Théâtre National Populaire du Palais de Chaillot par Georges Wilson. Chaque version porte un jugement différent sur l'abjuration de Galilée et ses conséquences (éditions de l'Arche).
3. *Dom Juan*, Acte V, scène 2.
4. On la trouvera dans *Les chansons de Claude de Chouvigny, baron de Blot* ; des copies en circulaient clandestinement au XVIIe siècle, comme les écrits de la Résistance sous l'occupation allemande ou les samizdats dans la Russie soviétique actuelle.
5. Connu aujourd'hui sous le nom de saint Vincent de Paul (« Monsieur Vincent » dans le film de Jean Anouilh interprété par Pierre Fresnay).

Ainsi fleurit naturellement l'ambiguïté sous les dictatures idéologiques. De vrais libertins deviennent ouvertement dévots, de vrais dévots deviennent clandestinement libertins. A qui se fier ? On ne sait même jamais avec certitude qui ou qui n'est pas de la Compagnie !... En novembre 1660, Mazarin décide de trancher dans le vif. Il fait procéder à une enquête approfondie — et il requiert nettement l'interdiction... Mais c'est lui qui est roulé. Il est obligé pour cela de s'adresser au Parlement, et Guillaume de Lamoignon, son Premier Président, est de connivence avec les Confrères. C'est même, estimera Colbert plus tard, « un des principaux de la Cabale, sinon le chef[1] ». Lamoignon, sous couvert d'obéir à Mazarin, fait adopter un arrêté d'interdiction en apparence extrêmement sévère, mais rédigé en termes tellement généraux que la Compagnie du Saint-Sacrement n'est même pas nommée. Lorsque le cardinal s'éteint quelques mois après et que Louis XIV décide d'exercer lui-même le pouvoir, les deux camps sont face à face.

1. *Lettres, instructions, mémoires* de Colbert, VII, 214.

2 La bataille pour la représentation

La Compagnie, d'abord, se met en veilleuse. Elle ne peut rien contre l'arrestation de Fouquet : Louis XIV a agi avec une extrême rapidité (septembre 1661). Le premier grand chef-d'œuvre de Molière, *L'École des Femmes* (1662), apparaît aux Confrères comme une abomination[1], mais ici non plus ils ne peuvent rien d'efficace, le succès est déjà là. La Compagnie laisse agir les pédants et les précieux.

Au contraire, en 1664, ils sont prévenus (par qui ?) que Molière écrit une pièce contre les dévots. Aussitôt, avant même que *Tartuffe* soit achevé, avant même que trois actes en soient joués exceptionnellement à Versailles pour les fêtes de l'Ile enchantée, ils se réunissent chez le marquis de Laval, le 17 avril :

> « On parla fort ce jour-là de travailler à procurer la suppression de la méchante comédie de *Tartuffe*. Chacun se chargea d'en parler à ses amis qui avaient quelque crédit à la Cour pour empêcher sa représentation[2]. »

Ils réussissent. Ils laissent jouer les trois actes à la Cour le 12 mai, mais aussitôt après, l'archevêque de Paris, Hardouin de Beaumont de Péréfixe (ancien précepteur du Roi), Guillaume de Lamoignon (Premier Président au Parlement) interviennent en personne auprès de Louis XIV. Celui-ci, « pressé là-dessus à plusieurs reprises », rapporte Brossette[3], dit à Molière, doucement, « qu'il ne fallait pas irriter les dévots ». On ne sait rien de plus. Il semble que le Roi n'ait pas voulu, alors, peiner sa mère Anne d'Autriche devenue très

---

1. Le prince de Conti écrit dans son *Traité de la Comédie* « qu'il n'y a rien de plus scandaleux que la cinquième scène du deuxième acte de *L'École des Femmes*... » ; mais ce *Traité* paraîtra seulement en 1966.
2. *Annales de la Compagnie du Saint-Sacrement*, à la date du 17 avril 1664.
3. *Correspondance Boileau-Brossette*, p. 653.

pieuse et à ce moment-là fort malade (Molière sera accusé en 1666 de la faire mourir de chagrin[1]). Le 13 mai, en tout cas, les représentations publiques de la pièce sont interdites.

Molière avait toujours la possibilité de jouer sa pièce en représentations privées, devant les personnes « capables d'un juste discernement ». Il la joue donc devant « Madame » (Henriette d'Angleterre, belle-sœur du Roi), devant le Grand Condé ; il en fait lecture devant le cardinal Chigi, nonce et neveu du pape, qui paraît n'y rien trouver à redire... Mais, bien entendu, comme il l'avoue[2], la suppression des représentations *publiques* est pour lui « un coup sensible ». Déjà d'ailleurs certains le croient à terre et se précipitent pour l'achever. L'abbé Roullé, docteur en Sorbonne, publie un pamphlet où il essaie de forcer la main au Roi. Il affirme, au milieu des pires flatteries, que celui-ci a ordonné au comédien *« sur peine de la vie »* de ne plus rien « produire au jour de si indigne et de si infamant », car déjà cette fois Molière méritait la peine capitale.

MOLIÈRE VOUÉ AU FEU

« Il méritait par cet attentat sacrilège et impie[3] *un dernier supplice exemplaire et public, et le feu même avant-coureur de celui de l'Enfer[4]*, pour expier un crime si grief[5] de lèse-majesté divine, qui va à ruiner la Religion Catholique, en blâmant et jouant sa plus religieuse et sainte pratique, qui est la conduite et direction des âmes et des familles *par les sages Guides et Conducteurs pieux.* »
Ce pamphlet a pour titre « *Le Roi glorieux au Monde*[6] » et il y a plus de cinquante pages de ce style, révélateur d'un certain aspect du XVIIe siècle ; mais Roullé fut le premier puni. Louis XIV, furieux d'une telle bassesse, ordonna la suppression du

1. Rochemont, *Observations sur « Le Festin de pierre »*, c'est-à-dire sur *Dom Juan.*
2. Dans son premier *Placet au Roi.*
3. Une pièce « à la dérision de toute l'Église ».
4. On voit que Molière n'exagère pas lorsqu'il dénonce dans sa préface les « zélés indiscrets » qui lui disent « des injures pieusement et le damnent par charité », ni Boileau lorsqu'il écrit dans son *Épître VII* à propos du curé de Saint-Barthélémy :
   Ce défenseur zélé des bigots mis en jeu,
   Pour prix de ses bons mots [de Molière], le condamnait au feu.
5. Si grave.
6. Avec même en deuxième titre, comme si le premier n'était pas encore assez clair, *« Louis XIV le plus glorieux de tous les rois du monde ».*

libelle (dont il ne reste aujourd'hui que trois exemplaires).

Molière se défend, Il écrit au Roi son premier placet :

Sire,

Le devoir de la comédie étant de corriger les hommes en les divertissant, j'ai cru que, dans l'emploi[1] où je me trouve, je n'avais rien de mieux à faire que d'attaquer par des peintures ridicules les vices de mon siècle ; et comme l'hypocrisie sans doute en est un des plus en usage, des plus incommodes et des plus dangereux, j'avais eu, Sire, la pensée que je ne rendrais pas un petit service à tous les honnêtes gens de votre royaume, si je faisais une comédie qui décriât les hypocrites, et mît en vue comme il faut toutes les grimaces étudiées de ces gens de bien à outrance, toutes les friponneries couvertes[2] de ces faux-monnayeurs en dévotion, qui veulent attraper les hommes avec un zèle contrefait et une charité sophistiquée[3].

Je l'ai faite, Sire, cette comédie, avec tout le soin, comme je crois, et toutes les circonspections que pouvait demander la délicatesse de la matière ; et pour mieux conserver l'estime et le respect qu'on doit aux vrais dévots, j'en ai distingué le plus que j'ai pu le caractère que j'avais à toucher[4]. Je n'ai point laissé d'équivoque, j'ai ôté ce qui pouvait confondre le bien avec le mal, et ne me suis servi, dans cette peinture, que des couleurs expresses et des traits essentiels qui font reconnaître d'abord un véritable et franc hypocrite.

Cependant toutes mes précautions ont été inutiles.

On a profité, Sire, de la délicatesse de votre âme sur les matières de religion, et l'on a su vous prendre par l'endroit seul que vous êtes prenable, je veux dire par le respect des choses saintes.

Les Tartuffes, sous main, ont eu l'adresse de trouver grâce auprès de Votre Majesté, et les originaux enfin ont fait supprimer la copie, quelque innocente qu'elle fût, et quelque ressemblante qu'on la trouvât.

Mais le Roi ne peut ni ne veut revenir sur sa décision. La Reine-Mère est toujours malade. A Rome, Louis XIV a obtenu des excuses du pape à la suite d'une rixe sordide entre soldats pontificaux et soldats français, on a même édifié une pyramide expiatoire ! Il n'entend pas pousser à bout ses adversaires. Encore aujourd'hui on n'a pu retrouver aucun

1. L'emploi de poète comique.
2. Dissimulées, cachées.
3. Fondée sur des raisonnements faux et trompeurs.
4. A peindre.

document sérieux sur le *Tartuffe* de 1664. On ne sait même pas s'il a été achevé et ce que contenaient exactement les trois actes joués le 12 mai... Le Grand Condé fait bien demander à Molière s'il ne pourrait pas donner devant lui le quatrième acte au cas où celui-ci serait écrit, précisant qu'il faut n'en parler à personne, mais les témoignages sont contradictoires sur ce qu'il en a été exactement. On sait seulement que la Compagnie, satisfaite en somme par l'interdiction publique et craignant des initiatives inopportunes comme celle du curé Roullé, exhorte ses membres à ne plus rien écrire contre la pièce : « *Mieux vaut l'oublier que de l'attaquer, de peur d'engager l'auteur à la défendre*[1]. »

« DOM JUAN »

En attendant, Molière n'a plus rien à jouer de lui sur son théâtre (mais il a créé la première pièce de Racine, *La Thébaïde*). Ses camarades le pressent. Il écrit et il joue à Paris *Dom Juan,* une pièce à grand spectacle, étonnamment complexe, où il parvient à dénoncer l'égoïsme, la débauche, le cynisme, *l'hypocrisie* de son héros, tout en exaltant sa lucidité et son courage. La pièce obtient un très grand succès. Elle n'est pas « interdite » (ici encore il faut se borner à rapporter les faits sans en connaître les dessous exacts), mais une scène essentielle est supprimée dès le lendemain de la première et l'œuvre ne sera pas reprise après le congé de Pâques malgré des recettes extrêmement fortes[2]... Le Roi vraisemblablement a dû s'incliner une nouvelle fois, mais il n'a pas voulu prononcer une seconde interdiction officielle. Afin de dédommager Molière, il lui accorde même, pour sa troupe, le titre de « Troupe du Roi » et, pour lui-même, une pension annuelle de 6 000 livres.

Molière continue donc de jouer à Versailles. Il donne des comédies-ballets, *L'Amour Médecin, Mélicerte, Le Sicilien ou*

---

1. *Annales de la Compagnie du Saint-Sacrement*, à la date du 14 septembre 1664.
2. Elle n'est pas éditée non plus. La scène du Pauvre, supprimée au lendemain de la première, ne sera connue que par une édition hollandaise clandestine en France.

l'Amour peintre. A Paris, il crée *Le Misanthrope,* une des pièces qu'il a le plus travaillée, *Le Médecin malgré lui, Alexandre,* de Racine, *Attila,* de Corneille... Mais il ne cesse de penser à *Tartuffe,* il remanie et remanie la pièce pour qu'elle puisse ne choquer aucune personne de bonne foi. Il veut être prêt pour la première occasion favorable...

Or, après la mort d'Anne d'Autriche, après la mort du prince de Conti et du curé Roullé, après la condamnation définitive de Fouquet, Colbert mène résolument ses attaques. Pour augmenter la production, il décide de supprimer un certain nombre de fêtes religieuses pendant lesquelles il était défendu de travailler[1] ; il entend également réduire le nombre des moines qui ne font rien et il recule à vingt-cinq ans pour les hommes l'âge des vœux de religion. La Compagnie organise la résistance sur ces points, mais elle décide aussi, devant la ténacité du ministre (et ses enquêtes), « qu'il est de la prudence de ne se plus s'assembler,... de céder à l'orage en attendant des jours meilleurs[2] ».

Les circonstances devenues moins favorables aux dévots, Molière croit pouvoir faire représenter sa pièce. Il estime que les esprits sont désormais suffisamment préparés, nous dit Grimarest, et il a cru comprendre aussi, lors d'une conversation avec Louis XIV, qu'il a effectivement l'autorisation royale. Le 5 août 1667, il donne dans son théâtre une représentation publique de sa comédie remaniée : *nouveau titre, L'Imposteur ;* nouveau nom du personnage (qui n'est plus un clerc[3]), *Panulphe.*

INTERDICTION TOTALE

Molière s'est trompé. Le lendemain, sa pièce est de nouveau interdite... Le Roi vient de partir au siège de Lille ; et Guillaume de Lamoignon est toujours premier président du Parlement (chargé de la police), Hardouin de Beaumont de

---

1. Il y en en avait 55, davantage que de dimanches. On se rappelle ce que dit le savetier de La Fontaine : « On nous ruine en fêtes ; L'une fait tort à l'autre ; et monsieur le curé De quelque nouveau saint charge toujours son prône. »
2. *Annales de la Compagnie du Saint-Sacrement,* page 141.
3. Voir page 26 (notes 1 et 2). Les *clercs* sont tous gens d'Église, mais ils ne sont pas tous prêtres.

Péréfixe occupe toujours l'archevêché de Paris. Surtout les Confrères ont trouvé un argument nouveau beaucoup plus sérieux que ceux de 1664 et contre lequel un comédien excommunié ne peut rien dire. Lorsque le directeur de la Troupe du Roi, que Boileau[1] accompagne, vient demander à Lamoignon la levée de l'interdiction, il s'entend répondre exactement :

« Monsieur, je fais beaucoup de cas de votre mérite ; je sais que vous êtes non seulement un acteur excellent, mais encore un très habile homme qui fait honneur à votre profession, et à la France, votre pays ; cependant, avec toute la bonne volonté que j'ai pour vous, je ne saurais vous permettre de jouer votre comédie. Je suis persuadé qu'elle est fort belle et fort instructive, mais il ne convient pas à des comédiens d'instruire les hommes sur les matières de la morale chrétienne et de la religion ; ce n'est pas au théâtre à se mêler de prêcher l'Évangile[2]. »

Molière est « entièrement déconcerté », il se trouble, il comprend qu'il a encore perdu.

« Monsieur le Premier Président lui fit entendre, par un refus gracieux, qu'il ne voulait pas révoquer les ordres qu'il avait donnés, et le quitta en lui disant : « Monsieur, vous voyez qu'il est près de midi ; je manquais la messe si je m'arrêtais plus longtemps[2]. »

C'est probablement ce « refus gracieux » qui donna à Molière l'idée de faire répondre à Tartuffe pressé par Cléante, dans la version définitive de la pièce, les trois vers demeurés célèbres à juste titre :

Il est, Monsieur, trois heures et demie :
Certain devoir pieux me demande là-haut,
Et vous m'excuserez de vous quitter si tôt[3].

Mais Molière n'a pu utiliser nulle part la raison supplémentaire ahurissante donnée à tous par Hardouin de Péréfixe,

1. Boileau avait soutenu la pièce de Molière publiquement, dès 1665, dans un *Discours au Roi,* hélas rédigé en vers assez médiocres.
2. Récit de Brossette dans la *Correspondance Boileau-Brossette,* à la date du 9 novembre 1702.
3. *Tartuffe,* vers 1266, 1267, 1268. L'hypocrisie la plus visible se réfugie toujours très volontiers derrière la politesse officielle. Cléante, comme Molière devant Lamoignon, comprend par ces vers que tous les arguments sont inutiles en face d'un Tartuffe. Il ne peut répondre dans la pièce que par une exclamation de rage indignée : « Ah ! » (début du vers 1269)... Comme on prête beaucoup aux riches, on affirme que Molière aurait dit plaisamment à Louis XIV, en 1668 : « Sire, je voudrais bien pouvoir donner *Tartuffe,* mais Monsieur le Premier Président ne veut pas qu'on *le* joue !... » Le Roi n'aurait pu s'empêcher de sourire (Boileau a démenti l'anecdote).

beaucoup moins intelligent que Lamoignon, dans son ordonnance archiépiscopale du 11 août 1667 :

« Considérant que dans un temps où notre grand Monarque expose si librement sa vie pour le bien de son État, et où notre principal soin est d'exhorter tous les gens de bien de notre Diocèse à faire des prières continuelles pour la conservation de sa Personne sacrée et pour le succès de ses armes, il y aurait de l'impiété de s'occuper à des spectacles capables d'attirer la colère du Ciel, avons et faisons très expresses inhibitions et défenses à toutes personnes de notre Diocèse, de représenter, lire, ou entendre réciter la susdite Comédie, soit publiquement, soit en particulier, sous quelque nom et quelque prétexte que ce soit, et ce sous peine d'Excommunication. »

LES MODIFICATIONS APPORTÉES À LA PIÈCE

Molière ne pouvait même plus jouer *Tartuffe* en séances privées : il y allait de la vie des soldats français et de celle du Roi !... Aussitôt il envoie à Lille deux de ses comédiens présenter la défense de la pièce, rappeler toutes les modifications qu'il y a apportées :

« En vain je l'ai produite sous le titre de *l'Imposteur*, et déguisé[1] le personnage sous l'ajustement d'un homme du monde ; j'ai eu beau lui donner un petit chapeau, de grands cheveux, un grand collet[2], une épée et des dentelles sur tout l'habit ; mettre en plusieurs endroits des adoucissements, et retrancher avec soin tout ce que j'ai jugé capable de fournir l'ombre d'un prétexte aux célèbres originaux du portrait que je voulais faire : tout cela n'a de rien servi. La cabale s'est réveillée aux simples conjectures qu'ils ont pu avoir de la chose. [...] Ils ont l'art de donner de belles couleurs à toutes leurs intentions. Quelque mine qu'ils fassent, ce n'est point du tout l'intérêt de Dieu qui les peut émouvoir : ils l'ont assez montré dans les comédies qu'ils ont souffert qu'on ait jouées tant de fois en public, sans en dire le moindre mot. Celles-là n'attaquaient que la piété et la religion, dont il se soucient fort peu ;

---

1. *Déguisé* : ce mot, de sens très fort, autorise vraiment à penser que le premier Tartuffe, celui de 1664, était un homme d'Église, un clerc.
2. Le *Dictionnaire* de Furetière (en 1690) donne les précisions suivantes : « *Un homme à petit collet,* ou simplement *un petit collet* ; ces mot se disent des gens d'Église qui, par modestie, portent de petits collets pendant que les gens du monde en portent de grands ornés de points et de dentelles. Ils se disent ensuite d'un homme qui s'est mis dans la dévotion et dans la réforme ; et même on le dit en mauvaise part des hypocrites qui affectent des manières modestes, et surtout de porter un petit collet. »

mais celle-ci les attaque et les joue eux-mêmes ; et c'est ce qu'ils ne peuvent souffrir[1]. Ils ne sauraient me pardonner de dévoiler leurs impostures aux yeux de tout le monde. [...] J'attends avec respect l'arrêt que Votre Majesté daignera prononcer sur cette matière ; mais il est très assuré, Sire, qu'il ne faut plus que je songe à faire de comédie, si les Tartuffes ont l'avantage ; qu'ils prendront droit par là de me persécuter plus que jamais, et voudront trouver à redire aux choses les plus innocentes qui pourront sortir de ma plume[2]... »

LA PAIX DE L'ÉGLISE

Le Roi, encore une fois, ne répond à Molière que par de bonnes paroles ; il ne tient à désavouer ni l'archevêque, ni le ministre de la police... D'autant qu'il est engagé, *à leur insu*, et bien entendu à l'insu de Molière, dans des négociations très serrées avec le pape sur les grandes affaires religieuses du royaume. Ces négociations, sur lesquelles nous n'avons évidemment pas la place de nous étendre ici, se poursuivent pendant toute l'année 1668, et l'affaire de *Tartuffe* naturellement ne peut avancer d'un pas. Au contraire, à peine les pourparlers finis, dès que ce qu'on appellera la Paix de l'Église est conclue, en janvier 1669, la question se règle comme par enchantement. La Compagnie, qui n'est plus soutenue par Rome, ne peut plus rien. Elle sait que Colbert guette ses moindres manifestations, elle détruit tout ce qu'elle peut de ses archives, elle disparaît. Molière, pour le moment, n'a plus d'ennemis efficaces. *Tartuffe* est joué sans aucune protestation le 5 février 1669 et toutes les semaines suivantes avec un plein succès.

Molière exulte. Il est tellement heureux qu'il écrit au Roi, le même jour, sur le ton de la plus franche plaisanterie. Il lui demande une place de chanoine ! pour un ami médecin !

1. Par cette phrase, Molière rappelait discrètement une conversation de Louis XIV avec le prince de Condé qu'il rapportera en clair deux ans plus tard dans la préface de *Tartuffe* : « Je voudrais bien savoir, demanda le Roi, pourquoi les gens qui se scandalisent si fort de la comédie de Molière ne disent mot de celle de *Scaramouche*. ». A quoi le prince répondit : « La raison de cela, c'est que la comédie de *Scaramouche* joue le ciel et la religion, dont ces messieurs-là ne se soucient point, mais celle de Molière les joue eux-mêmes ; c'est ce qu'ils ne peuvent souffrir. »
2. Molière, second Placet, présenté au Roi dans son camp devant la ville de Lille (1667).

Sire,

Un fort honnête médecin, dont j'ai l'honneur d'être le malade, me promet et veut s'obliger par-devant notaires de me faire vivre encore trente années, si je puis lui obtenir une grâce de Votre Majesté. Je lui ai dit, sur sa promesse, que je ne lui demandais pas tant, et que je serais satisfait de lui pourvu qu'il s'obligeât de ne me point tuer. Cette grâce, Sire, est un canonicat de votre chapelle royale de Vincennes, vacant par la mort de...

Oserais-je demander encore cette grâce à Votre Majesté, le propre jour de la grande résurrection de *Tartuffe,* ressuscité par vos bontés ? Je suis, par cette première faveur, réconcilié avec les dévots ; et je le serais, par cette seconde, avec les médecins. C'est pour moi sans doute trop de grâces à la fois ; mais peut-être n'en est-ce pas trop pour Votre Majesté ; et j'attends, avec un peu d'espérance respectueuse, la réponse de mon placet.

La pièce est restée constamment depuis 1669 au répertoire de nos théâtres[1].

---

1. Mais elle n'a été inscrite qu'en 1882 dans les programmes des lycées !... Dans les collèges, pendant longtemps, elle n'a été offerte aux élèves que dans des éditions tronquées (éditions Figuière, Sengler). Pour que les coupures ne se voient pas, elles étaient pratiquées par groupes de 4 vers, deux rimes masculines, deux rimes féminines ; on devine ce qu'il restait de la pièce ! Il faut toujours lire *Tartuffe* dans une édition dont les vers soient numérotés.

La structure
de la pièce
analyse commentée)

PREMIER ACTE

Scène 1. Madame Pernelle, dévote intransigeante et sans bonté, critique vertement tous les membres de la famille de son fils Orgon :

Elmire, sa nouvelle femme[1], coquette et dépensière ;

Damis, le fils aîné du premier mariage, un « garnement », un « fou » ;

Mariane, la fille du premier mariage, une « doucette » à laquelle il ne faut pas se fier ;

Dorine, ancienne nourrice de Mariane et qui fait pour ainsi dire partie de la famille, une suivante « un peu trop forte en gueule et fort impertinente » ;

Cléante, frère d'Elmire, dont l'art de vivre ressemble fâcheusement à celui des libertins.

Au contraire, « Monsieur Tartuffe », qu'Orgon a installé récemment chez lui, est pour la vieille dame un « dévot » personnage qui a raison de tout contrôler dans la maison car c'est « au chemin du Ciel » qu'il conduit la famille.

Scène de mouvement très rapide qui nous apprend en même temps ce que nous avons besoin de savoir : un intrus dangereux s'est introduit dans une famille riche et jusque-là unie ; le chef de famille et sa mère sont fous de lui ; les autres membres de la famille le méprisent et le détestent.

1. Orgon était veuf.

Scène 2. Dorine le confirme à Cléante : Orgon, homme apparemment solide, et qui a vaillamment servi le Roi sous la Fronde, « est devenu comme un homme *hébété,* / Depuis que de Tartuffe on le voit entêté ».

Scène de récit : l'aliénation d'Orgon vue par une femme du peuple très lucide.

Scène 4. D'ailleurs nous constatons tout de suite, par nous-mêmes, à quel point Dorine a raison. Orgon ne pense littéralement qu'à « son » dévot, devenu son directeur de conscience. Il oublie tout le reste, y compris la santé de sa femme. Dorine se moque de lui de façon ouverte, il ne s'en aperçoit même pas.

Scène très comique et très révélatrice, mais très difficile à bien jouer. Voir plus loin, page 43.

Scène 5. Cléante essaie de « raisonner » Orgon, avec des *arguments* solides. Il montre sur quels *critères* réels on peut distinguer la vraie et la fausse dévotion : par les *actes,* par l'expérience. Il lui donne des exemples... Peine perdue, Orgon est enfermé dans un autre monde. Il ne s'apercevait pas qu'il était ridicule devant Dorine ; il n'est pas davantage sensible, devant Cléante, à la logique ni au réel — il a lui-même sa logique et son réel.

Scène « intellectuelle » très forte, mais que Molière remet aussitôt en mouvement après les longues tirades de Cléante. Nous apprenons, et cette fois par une série de répliques très courtes, qu'Orgon envisage de rompre les fiançailles de sa fille Mariane avec Valère (qui l'aime et qu'elle aime). Cléante, prévenu d'ailleurs par Damis à la scène 3, comprend aisément, ainsi que tous les spectateurs, qu'il y a du Tartuffe là-dessous, et il presse Orgon de tenir ses promesses à Valère. Orgon répond seulement qu'il fera « ce que le Ciel voudra ».

DEUXIÈME ACTE

Scène 1. Orgon interroge hypocritement Mariane sur Tartuffe. Elle répond avec politesse. Orgon lui annonce alors qu'il a résolu de la marier non plus à Valère mais à Tartuffe.

Scène 2. Dorine intervient vigoureusement et comiquement, de toutes les façons possibles, pour montrer à Orgon l'odieux et le ridicule de son projet. Orgon n'arrive pas à la faire taire, ni à la gifler, et c'est lui, le dévot, elle le lui fait remarquer avec délices, qui va commettre le péché de colère (l'un des sept péchés capitaux), qui le commet déjà ! Orgon, provisoirement vaincu, ne peut donc sans danger moral poursuivre la conversation et il est obligé de quitter la place.

Scène 3. Dorine entreprend maintenant de soutenir Mariane contre elle-même. La jeune fille en a bien besoin, ce n'est pas une « vigoureuse » comme par exemple l'Henriette des *Femmes savantes,* elle est extrêmement timide. Dorine, par son bon sens ironique, la « remonte » autant qu'elle peut.

Scène 4. Arrive Valère, le fiancé de Mariane. Les deux jeunes gens vont-ils établir un plan de bataille ? Pas du tout. Sur une réponse mal interprétée de Mariane, Valère prend la mouche, et Mariane aussi. Chacun des deux croit que l'autre est charmé au fond que les fiançailles soient rompues... La querelle s'envenime, ils sont tout prêts de se quitter définitivement ; mais Dorine, qui jusque-là les laissait faire en comptant les coups et en s'amusant fort, les réconcilie presque de force sachant bien qu'ils en seront ravis. Effectivement les voici aussi fortement amoureux qu'au début de la scène. Mariane promet à Valère, très nettement cette fois, qu'elle ne sera point à un autre qu'à lui... ! Les spectateurs savent bien, pourtant, qu'avec des adversaires comme Orgon et Tartuffe le mariage est en fait bien menacé.

« L'acte de Dorine », comme on l'appelle au théâtre. Deux scènes avant tout, une scène de farce (scène 2), puis une longue scène ravissante de « dépit amoureux » (scène 4 ; Molière avait écrit toute une pièce sur ce thème et de ce titre quand il « tournait » encore en province). Ce deuxième acte n'existait probablement pas dans le *Tartuffe* de 1664, Molière a dû l'ajouter lorsqu'il a remanié sa pièce pour qu'elle puisse être jouée. A la lecture, il est certain que les scènes 2, 3 et 4 paraissent quelque peu hors du sujet, qu'elles nous éloignent de la grande comédie de mœurs. Au théâtre pourtant, elles emportent toujours l'adhésion car elles font rire et sourire constamment. Ce sont des scènes qu'il faut voir jouer.

TROISIÈME ACTE

Scène 1. Elmire a demandé un entretien à Tartuffe pour le sonder sur le nouveau mariage envisagé par Orgon. Elle est la seule qui puisse obtenir quelque chose du dévot ; Damis, malgré les conseils de Dorine, se cache pour assister à cet entretien.

Scène 2. Tartuffe entre. Dès qu'il aperçoit Dorine, il prend la pose, joue l'ascète, et tend un mouchoir à Dorine pour qu'elle couvre ses seins : « *Par de pareils objets les âmes sont blessées* », dit-il. Dorine réplique de façon gaillarde et annonce Elmire. Tartuffe, qui se déclarait prêt à quitter la place pour ne pas entendre des propos indécents, se radoucit aussitôt.

Scène très courte mais essentielle ; la plus célèbre « entrée » d'un personnage de toute la scène française, — la plus préparée aussi. Comme le souhaitait Molière, aucune hésitation n'est possible de la part du spectateur : l'hypocrite apparaît tout de suite comme un hypocrite, mais en même temps, grâce à Dorine, comme un hypocrite ridicule.

Scène 3. Elmire arrive avec peine à interroger Tartuffe. Troublé par la présence de la jeune femme, Tartuffe ne peut s'empêcher de lui manifester son désir, sensuellement d'abord, puis par une déclaration précise, onctueuse, passionnée. Il lui fait l'offrande de tout lui-même... et il lui propose l'adultère. Elmire le repousse nettement et elle exige de Tartuffe qu'il fasse presser par Orgon le mariage de Mariane et de Valère : à cette seule condition elle gardera le silence sur la tentative sensuelle du dévot.

Longue scène admirablement « filée » ; l'hypocrite se sert pour séduire de son hypocrisie même, jusque dans les moments où il est le plus sincère. (Voir plus loin p. 48 et suivantes.)

Scènes 4 et 5. Damis sort de sa cachette. Violent et irréfléchi comme toujours, il a décidé au contraire, lui, de tout révéler à son père pour démasquer l'*imposteur*. Elmire, prévoyant trop bien que son mari ne sera pas convaincu par de simples paroles, laisse les trois hommes face à face.

Scènes très rapides, sans un sourire possible. L'intrigue est nouée totalement, le « suspense » presque tragique.

Scène 6. Effectivement, Tartuffe, qui n'a pas dit un mot dans les deux scènes précédentes, joue le grand jeu de l'humilité dévote. Comme tous les hommes, plus que tous les hommes, oui, il est un méchant, un coupable, un malheureux pécheur tout plein d'iniquités, capable de tout. Il se jette aux genoux d'Orgon... Orgon est ulcéré contre son fils, indigné, honteux pour lui. Il ne peut supporter le malheur de Tartuffe, il se jette également à ses genoux... A peine relevé, il déshérite Damis, il le maudit, il le chasse.

Scène 7. Tartuffe, maintenant que Damis est chassé, lui pardonne... en paroles. Apparemment sans rien demander, en offrant au contraire de s'en aller définitivement, de ne plus jamais revoir Elmire pour ne pas donner prise à la calomnie, il obtient d'Orgon la donation totale de ses biens, la permission d'être constamment avec sa femme.

Scènes à la fois sinistres et comiques. Sinistres par le fond : Orgon est complètement subjugué, « possédé » et « dépossédé » ; il fait tout pour se perdre, comme le drogué qui se livre à sa drogue, et il se perd effectivement lui-même ainsi que tous les siens. L'hypocrisie de Tartuffe et la bêtise d'Orgon sont tellement évidentes en même temps pour les spectateurs que l'impression de *grotesque* l'emporte peu à peu sur toutes les autres, admirablement provoquée en nous par le spectacle extraordinaire des deux hommes agenouillés front contre front, s'humiliant réciproquement, s'invitant à se relever et refusant de le faire, et l'un des deux pourtant entièrement sous la coupe du second. A la fin de cet acte, ce n'est plus seulement l'hypocrite que nous méprisons, c'est sa dupe, c'est l'imbécile tyrannique qui lui cède tout. Le spectateur les met pour ainsi dire dans le même sac.

QUATRIÈME ACTE

Scène 1. Effectivement Orgon est devenu un tyran domestique, il impose sa loi. Cléante n'essaie plus de le « raisonner » comme au premier acte, il essaie de négocier avec Tartuffe lui-même en lui montrant que son attitude est tellement illogique qu'il ne pourra plus faire illusion désormais ; il lui rappelle que la donation faite par Orgon est interdite par le droit, le menace pratiquement d'un procès. En vain. Tartuffe, soucieux surtout de ne pas révéler à Cléante son arme secrète, lui répond seulement par des arguties et finalement rompt l'entretien avec la brutalité polie dont Lamoignon a usé envers Molière (voir page 25). Cléance a échoué.

> Nouvelle scène « intellectuelle », à fleurets mouchetés. Les seuls sourires, amers, peuvent naître des « excuses colorées » invoquées par Tartuffe, auxquelles il sait parfaitement qu'un homme comme Cléante ne peut pas croire mais qu'il est obligé de donner quand même.

Scènes 2 et 3. Mariane supplie son père : plutôt le couvent que le mariage avec Tartuffe. Orgon se raidit pour ne pas céder. Elmire alors choisit le seul moyen possible, elle s'engage à lui faire *voir,* en pleine lumière, la vérité de ce qu'il déclare impossible. Orgon, pris au mot, est obligé d'accepter.

> Scènes dramatiques, de « suspense ». Le spectateur, comme Dorine, se demande si Tartuffe tombera dans le piège, rusé comme il est.

Scène 4. Elmire fait cacher Orgon sous la table, couverte par un grand tapis, et elle le prévient. Elle va « feindre », elle aussi ; pour démasquer un hypocrite elle doit être hypocrite avec lui ; qu'Orgon l'arrête dès qu'il sera certain.

Scène 5. Tartuffe arrive auprès d'Elmire. Il se méfie. Elmire lui fait vérifier qu'il n'y a personne dans le renfoncement où Damis s'est caché le matin. Puis elle commence à « s'expliquer » à lui, doucement, lentement, avec tout le charme dont elle est capable ; elle peut s'appuyer sur les paroles mêmes d'Orgon puisque celui-ci a ordonné qu'ils soient toujours ensemble. Tartuffe se méfie toujours, réfléchit, mais déjà il est touché. Simplement il veut les preuves tout de suite de ce qu'elle dit, puisqu'ils sont seuls... Orgon ne bouge pas. Elmire doit ordonner à Tartuffe, pour lui échapper, d'aller vérifier encore une fois si son mari n'est pas dans les pièces voisines.

> Scène évidemment capitale, la plus audacieuse de la pièce. Sur un schéma de pure farce — le mari est sous la table pendant qu'on essaie de cajoler sa femme —, Molière parvient à construire une scène tout en finesses psychologiques et morales et qui reste pourtant très sensuelle.

Scènes 6, 7, 8. Orgon sort de dessous la table. Une dernière phrase de Tartuffe a fouetté son orgueil : son héros le considère comme un imbécile : « le pauvre homme », c'est lui !... Il se cache derrière le dos d'Elmire qui lui lance ironiquement : « *Quoi ! vous sortez sitôt ?* » Tartuffe revient, tire le verrou, mais au lieu d'embrasser Elmire, c'est Orgon qu'il trouve soudain devant lui, furieux. Tartuffe essaie une seconde de jouer le dévot une nouvelle fois, mais il lit tout de suite sur le visage d'Orgon que c'est inutile. Orgon a vu, et surtout il est humilié. Il chasse Tartuffe.

Tartuffe se redresse : « *C'est à vous d'en sortir.* » « Non seulement la donation est déjà signée, mais il a de quoi confondre entièrement Orgon, dit-il. Il part, la menace à la bouche, et Orgon baisse la tête. *« Il n'a pas lieu de rire »*, il a donné à Tartuffe, semble-t-il, beaucoup plus encore que sa propre maison.

L'acte se termine sur ce nouveau suspense. Les trois dernières scènes n'ont que quelques vers, comme il le fallait après la tension continue de la scène 5. Que va-t-il advenir ? Tartuffe est démasqué mais il est le maître.

CINQUIÈME ACTE

Scène 1. Orgon révèle à Cléante ce qui le tourmente le plus. Il a remis à Tartuffe, pour pouvoir jurer au besoin qu'il ne les avait pas en sa possession, des papiers que lui a confiés un de ses amis, Argas, ancien Frondeur, toujours poursuivi par la justice du Roi. Voilà pourquoi le traître était si sûr de lui et ne s'était pas laissé effrayer par les menaces de Cléante. (Acte IV, sc. 1.) Il peut exiger qu'Orgon ne fasse pas annuler la donation, sans quoi il le fera arrêter.

Scène 2. Damis, que son père avait maudit, revient se mettre à son service maintenant qu'il le sait en danger.

Scène 3. Madame Pernelle, venue aux nouvelles, ne veut absolument pas croire que Tartuffe soit un hypocrite. Orgon, en fait, n'a rien vu de décisif ; il fallait laisser aller les choses jusqu'au bout.

> De nouveau une scène comique après deux scènes fort dramatiques, mais ce comique lui-même est très significatif. Orgon se trouve en présence de quelqu'un d'aussi totalement aliéné qu'il l'était lui-même, et il ne peut rien faire. Il enrage.

Scène 4. Monsieur Loyal, « sergent huissier » tout dévoué à « Monsieur Tartuffe », onctueux et inexorable comme lui (c'est l'hypocrite devenu instrument de la loi), annonce l'arrivée de dix de ses hommes pour déménager totalement la maison d'Orgon aussitôt la nuit finie.

> Scène encore en partie comique par le ton, par la satire, mais l'inquiétude l'emporte.

Scène 5. Madame Pernelle est convaincue.

Scène 6. Valère vient prévenir Orgon qu'on va l'arrêter, il lui offre son carrosse et de l'argent pour s'enfuir s'il en est encore temps.

Scène 7. Trop tard ! Tartuffe arrive, accompagné par un exempt[1]. Il se venge sous un nouveau masque, celui du dévouement absolu au Roi... Mais on ne trompe pas Louis XIV : sa police est juste et bien faite, elle recherchait Tartuffe pour des méfaits commis sous un autre nom et celui-ci s'est trahi lui-même en allant dénoncer son bienfaiteur. Il est arrêté. Le Roi pardonne à Orgon pour récompenser son zèle pendant la Fronde, et il use de son pouvoir absolu pour annuler la donation, sans procès. Il est donc possible de faire tout de suite le bonheur de Mariane : elle a choisi, elle, un homme « sincère » !

> Ce dernier acte, comme le second, n'existait probablement pas dans le *Tartuffe* de 1664. L'hypocrite démasqué, nous n'apprenons plus rien d'essentiel sur les personnages, au moins en apparence. Mais, d'une part, ces différentes scènes de mouvement, extrêmement

---

1. Les *exempts* étaient les officiers de police chargés des arrestations (on les appelait ainsi parce qu'ils étaient *exemptés* des charges ordinaires des autres officiers).

habiles, nous font voir du dedans tout le mal que peut causer un faux dévot (nous constatons même que Tartuffe est méchant, vindicatif, implacable au point d'en oublier la prudence), d'autre part, le dénouement politique était, en 1669, absolument nécessaire (voir page 58). Le « deus ex machina » ne sort pas d'une trappe ni du merveilleux, mais du réel. Sans Louis XIV, le personnage Tartuffe serait vainqueur ; sans Louis XIV, la pièce *Tartuffe* ne serait pas jouée. Molière lui témoigne sa reconnaissance en même temps qu'il célèbre son action et l'invite à la poursuivre ; qui pourrait s'en étonner ? Même le dernier mot de la pièce, « sincère », résonne comme un rappel et un appel dans l'esprit de tous les spectateurs.

Je veux qu'on soit sincère, et qu'en homme d'honneur,
On ne lâche aucun mot qui ne parte du cœur ! *(Le Misanthrope,* Acte I, scène 1, vers 35-36).

En pleine bataille de *Tartuffe,* un autre héros conçu par Molière a martelé ces mots qu'on n'oublie pas. Ils sont, l'auteur nous l'indique discrètement, la conclusion naturelle de la pièce.

4 L'hypocrisie et l'aliénation

Qui est exactement Tartuffe ?

Tous les spectateurs depuis trois siècles, et avec eux tous les critiques littéraires, tous les metteurs en scène, tous les comédiens surtout qui avaient à « composer » le personnage, se sont longuement posé la question. Il leur a été à peu près impossible d'y répondre avec netteté, et pour cause : *Tartuffe doit demeurer énigmatique, Molière l'a voulu.*

Certes nous savons expressément, par les sous-titres mêmes de la pièce, que c'est un « imposteur », un « hypocrite[1] », mais cela ne peut suffire :

Imposteur signifie « qui cherche à *s'imposer*, à en *imposer* aux autres » par tous les moyens, vérité et mensonge mêlés.

Hypocrite, du grec *hupo-critès,* signifie « qui joue (son rôle) *pour soi[2], en dessous* », tout en gardant au moins en partie sa personnalité apparente. C'est ainsi que l'on a pendant longtemps, en grec, désigné par le mot *hupo-critès* tout comédien amateur ou professionnel, car le comédien, comme on sait, doit à la fois « jouer » son rôle le mieux possible, « incarner » son personnage, « se mettre dans sa peau » — et en même temps demeurer l'acteur M. Un Tel, assez maître de lui pour corriger son attitude et modifier éventuellement ses jeux de scène suivant les réactions du public et les fautes possibles

1. Sous-titre de 1664 : *l'Hypocrite.* Sous-titre de 1667 et de 1669 : *l'Imposteur,* qualificatif plus général encore et qui montre bien que Molière entend s'attaquer non pas seulement aux hypocrites de la dévotion, mais à tous les imposteurs quels qu'ils soient.
2. *Hupo-critès* est formé sur le verbe grec à la « voix moyenne » *hupo-crinomai.* La voix moyenne n'existe pas en français ; ce n'est ni l'actif ni le passif, elle marque l'intérêt particulier pris par le sujet à l'action du verbe.

de ses partenaires, arranger un coin de tapis qui risque de faire tomber un de ses camarades à un moment pathétique, tendre l'oreille vers le souffleur, etc. Tous les comédiens, forcément, même ceux qui se donnent le plus à leur rôle, doivent être des virtuoses du double jeu, et Diderot, que le sujet passionnait, a écrit là-dessus des pages très vivantes et très perspicaces qui suscitent encore aujourd'hui des discussions infinies : *Le Paradoxe du comédien.*

LE MYSTÈRE DE TARTUFFE

Tartuffe donc est un homme double : un homme *qui joue un rôle,* celui du dévot, qui agit de telle et telle façon pour atteindre les buts qu'il se propose, mais un homme *qui existe aussi pour lui-même,* forcément, comme nous tous.

Nous souhaiterions, bien entendu, connaître cette seconde personnalité qui est en fait la première, et il aurait été extrêmement facile à Molière, s'il l'avait jugé à propos, de nous renseigner sur elle. Les scènes avec « confident » sont très fréquentes dans tout le théâtre du XVIIe siècle, chez les comiques comme chez les tragiques, chez Molière comme chez Racine. Pour ne prendre qu'un exemple, Ériphile trahit Iphigénie dans la pièce qui porte ce nom, mais nous n'ignorons rien de ses pensées secrètes grâce aux deux grandes scènes où elle se confie à Doris (personnage qui n'a pas d'autre rôle dans la pièce justement que de permettre cette connaissance par les spectateurs). Dans *Tartuffe,* pas un mot. L'hypocrite a bien un serviteur particulier, Laurent, qui l'imite dans tout ce qu'il fait (vers 204) et qui paraît avoir toute sa confiance : c'est Laurent qui est chargé par Tartuffe de donner à Orgon les divers renseignements qu'il estime opportuns (vers 291). Mais Molière nous refuse toute scène de connivence ou de complicité entre les deux hommes. Nous n'aurons, adressés à Laurent, que les quatre vers fameux, prononcés *devant témoin,* aussitôt que Tartuffe vient d'apercevoir Dorine (vers 853-856) :

Laurent, serrez ma haire avec ma discipline[1],
Et priez que toujours le Ciel vous illumine.

1. Rangez ma chemise de crin et mon fouet de corde (instruments de pénitence pour s'irriter volontairement la peau).

Si l'on vient pour me voir, je vais aux prisonniers
Des aumônes que j'ai partager les deniers.

Ces vers sont assurément révélateurs à un triple point de vue : Tartuffe se juge obligé de jouer son rôle même devant Dorine, qu'il n'a certainement plus aucun espoir de pouvoir convaincre après les semaines déjà passées dans la maison ; il proclame à voix haute, mais en ayant l'air de s'adresser seulement à son domestique, qu'il se meurtrit le corps exprès pour mater sa chair, alors que les vrais dévots essaient en général de cacher avec humilité leurs macérations ; enfin il est significatif que Tartuffe va oublier ce qu'il a dit dès qu'il lui sera parlé d'Elmire ; Elmire lui demande un entretien — aussitôt plus question d'aller distribuer des aumônes, il reste !

Mais, bien que nous entendions parler de Tartuffe depuis deux actes, ces vers accroissent le mystère, loin de le dissiper. Dans *L'École des Femmes*, Molière multipliait les monologues d'Arnolphe qui éclairaient en détail les moindres replis de son caractère, analysaient son évolution. Ici, encore une fois, rien. Cela ne peut pas être un hasard dans une pièce tellement méditée, faite et refaite plusieurs fois. L'une des premières préoccupations de Molière certainement, c'est que son Tartuffe, tout en étant nettement caractérisé comme un hypocrite aux yeux des spectateurs, demeure néanmoins d'une complexité intérieure *impénétrable*. Le personnage n'en est que plus dangereux, et plus vrai.

C'est cette complexité intérieure toujours sensible — telle que savait la garder constamment Michel Auclair par exemple, dans l'une des mises en scène de Roger Planchon —, qui explique les effets tellement différents que peut produire le personnage sur ceux qui l'approchent. Il est capable de fasciner, de laisser deviner en lui une vie intérieure extrêmement profonde, une « mystique », un mystère en tout cas — et en même temps, si on a de l'intuition, du bon sens, si on l'a percé à jour, ses « dehors fardés[1] » (vers 200), son

---

1. Il en va ainsi de tous les *fards*. Une femme très fardée pourra être pendant longtemps, pour beaucoup d'hommes, très attirante, très séductrice. Au contraire, elle pourra devenir laide, littéralement, aux yeux de ceux qui ne verront plus d'elle que ses fards, elle ne leur paraîtra plus qu'une « faiseuse », une « poupée », une marionnette.

« affectation », sa « forfanterie » (vers 857) apparaissent comme d'un seul coup en pleine lumière, on ne voit plus que « le masque », le « museau » (vers 560) ; il n'éblouit plus, il gêne et il inquiète.

Cette complexité explique également que le rôle ait pu connaître depuis trois siècles les interprétations les plus contradictoires. Maurice Descotes, qui les a étudiées en détail, nous rapporte qu'il a été interprété tour à tour, et parfois même simultanément, *« dans les tons les plus divers : grossier, balourd, aventurier de grande classe, obsédé sexuel, inquisiteur fanatique à demi croyant, âme inquiète luttant moins pour assurer sa fortune que son salut éternel, etc., etc. ».* L'extraordinaire, d'ailleurs, c'est que, quelle que soit l'interprétation, la pièce passe toujours la rampe : *« Consultez tous les comédiens de France et de Navarre, sans en excepter un seul,* disait Francisque Sarcey, *tous vous diront que de toutes les pièces présentes, passées et probablement futures,* Tartuffe *est la plus facile, je ne dis pas à jouer parfaitement, mais à jouer, et que l'on est toujours assuré du succès*[1]. »

Mais cela ne signifie pas que chacune de ces interprétations si diverses soit fidèle à Molière, il s'en faut de beaucoup. Comme le dit Pascal, il faut tenir compte de tous les passages d'un auteur, et les « accorder », si l'on tient à respecter sa pensée et son art. Essayons de le faire ensemble pour découvrir le Tartuffe le plus vraisemblable.

UN GROS HOMME DU MONDE ET UN « TRUAND »

Le physique de Tartuffe et certaines de ses habitudes nous sont indiqués avec précision. « Gros et gras », il a « l'oreille rouge », « la bouche vermeille », « le teint frais et fleuri » ; il mange bien, « fort dévotement sans doute », c'est-à-dire avec la mine de ne pas jouir de ce qu'il mange, mais il est capable d'avaler au même repas « deux perdrix, avec une moitié de gigot en hachis » (vers 234, 239, 240, 647). Dira-t-on que ces notations sont de Dorine et qu'elle exagère à dessein ? C'est possible. N'empêche que la description est forcément exacte

---

1. Maurice Descotes, *Les grands rôles du théâtre de Molière*, pp. 152 et 174, P. U. F., 1976.

pour l'essentiel. Aucun spectateur ne devra s'étonner lorsque Tartuffe paraîtra en personne, et Mariane d'ailleurs a authentifié le portrait tracé par Dorine. Tartuffe est donc un gros homme déjà alourdi par la bonne chère, cela est certain. Mais nous savons aussi que le comédien chargé du rôle dans la troupe de Molière, Du Croisy, âgé de 38 ans, était un peu gros, c'est vrai, mais « bien fait de sa personne », *imposant*, et tout à fait capable de jouer à ravir le Jupiter séducteur d'*Amphitryon*. Tartuffe, lui aussi, peut *s'imposer* et en *imposer*, c'est l'une des données du rôle... D'autant qu'il n'est nullement vêtu dans la pièce comme un gueux ou un mendiant, ni même comme un clerc ; Orgon lui a donné toute une garde-robe en le recueillant chez lui, c'est-à-dire « l'ajustement d'un *homme du monde* » : la perruque à la mode, un grand collet, une épée, des dentelles sur tout l'habit[1]. Orgon le croit gentilhomme et il peut passer pour tel ; il en joue le rôle en tout cas et il n'est pas du tout repoussant ni malpropre au premier abord, c'est là, de la part de certains acteurs, un contresens complet.

Quant à son intelligence, ou pour être plus exact son adresse, son savoir-faire, nous apprenons à la fin de la pièce qu'ils sont réels : il les a exercés déjà en de nombreuses occasions, c'est « un fourbe renommé » (vers 1923), connu de la police pour un long détail d'escroqueries et de tentatives d'escroqueries. Il n'a jamais réussi à s'enrichir durablement, il est même retombé dans une assez grande misère, mais il est parvenu du moins à échapper à toutes les poursuites. Orgon n'est pas sa première dupe.

« *Truand de sacristie* », dit Jules Lemaitre. L'expression n'est pas absolument exacte[2], mais elle fait image. Elle évoque bien en tout cas l'un de ces escrocs de paroisses riches qui n'imaginent pas d'autres moyens de bien vivre — sans travailler ! — que de s'introduire dans une famille choisie pour en capter tous les avantages et héritages possibles. Tartuffe ne

1. Ces indications sont de Molière lui-même dans son second *Placet* au Roi (août 1667).
2. Jules Lemaitre l'a d'ailleurs nuancée lui-même comme il le fallait : « Tartuffe a, par endroits, des finesses, des ironies presque imperceptibles, des airs détachés qui ne sont plus d'un vulgaire sacristain, mais qui sentent leur homme du monde et leur homme d'esprit. »

parvient guère à réfréner ses appétits devant la nourriture ou devant un beau corps de femme, mais il sait ce qu'il veut et ce qu'il peut.

LE COUPLE TARTUFFE-ORGON

Il a repéré Orgon. Il s'est renseigné sur son caractère, sa famille, sa fortune, son passé, et il manœuvre fort bien avec lui étant donné ce qu'est le bonhomme. Orgon était déjà extrêmement dévot avant de connaître Tartuffe, ne l'oublions pas. Il va à l'église « chaque jour » (vers 283), et sans Elmire, sans Damis ni Mariane — qui ne partagent guère ses conceptions de la pratique religieuse, par conséquent. C'est un homme qui a été capable de détermination autrefois, de courage, de sagesse même pendant la Fronde (vers 181-182), mais qui aujourd'hui semble comme démobilisé, tout seul, qui a besoin de donner et de se donner. Il fait beaucoup d'aumônes, il a soif d'être admiré, aimé, remercié, invité de nouveau à se grandir !...

Tartuffe va lui offrir tout cela : il va se faire sauver par lui, littéralement. Exactement comme, dans la fameuse pièce de Labiche, c'est en faisant semblant d'avoir été arraché à la mort par le courage de Monsieur Perrichon que l'amoureux de sa fille met toutes les chances de son côté, — exactement de même Tartuffe conquiert d'abord Orgon en lui rendant la fierté de lui-même. Orgon peut se sentir de nouveau un être exceptionnel, un héros : il est capable, lui, bourgeois, de sacrifier une grosse partie de sa fortune pour sauver un malheureux frappé par le sort, de reconnaître la sainteté d'un serviteur de Dieu sous l'habit misérable d'un pauvre, de braver pour cela l'opinion de sa classe et de tous les siens sauf de sa mère.

La première scène d'Orgon (I, 4) ne laisse aucun doute à cet égard. La répétition mécanique quatre fois de suite de l'exclamation apitoyée : « *Le pauvre homme !* », alors que Dorine vient de lui donner sur son hôte les renseignements exagérés les plus rassurants, puis quatre fois également la question toujours aussi inquiète : « *Et Tartuffe ?* », alors que c'est Elmire qui est malade, prouve à l'évidence qu'Orgon voit toujours dans son esprit le malheureux saint homme *exac-*

tement tel qu'il était quand il l'a arraché à la misère et imposé chez lui envers et contre tous. La scène est entièrement artificielle si on la joue d'une autre façon. C'est sa propre charité à l'égard de Tartuffe qui émeut Orgon jusqu'à « l'hébétude » (vers 183), qui lui fait oublier les réalités les plus immédiates. Tartuffe n'a plus qu'à poursuivre dans la même voie. La bête est prise.

Comme il connaît fort bien les textes sacrés, il en use avec un machiavélisme inattaquable. Il a (et Molière aussi) ses références toutes prêtes si jamais Orgon estime qu'il va trop loin. Mais Orgon, en fait, a toute confiance : il est heureux dans son égoïsme.

> Qui suit bien ses leçons goûte une paix profonde,
> Et comme du fumier regarde tout le monde. [...]
> Il m'enseigne à n'avoir affection pour rien ;
> De toutes amitiés il détache mon âme ;
> Et je verrais mourir frère, enfants, mère et femme,
> Que je m'en soucierais autant que de cela
>
> (vers 273-274, 276-279)

Pour amener Orgon à cette profession de foi de si bon augure, Tartuffe a pu citer à Orgon, pêle-mêle, saint Paul, l'*Imitation* et jusqu'à l'*Évangile* : « *Je regarde toutes choses comme du* fumier *afin de gagner Jésus-Christ[1]* », « *Il prend pour du* fumier *les choses de la terre[2]*. » « *Si quelqu'un venant à moi ne hait pas son père et sa mère, sa femme et ses enfants, ses frères et ses sœurs, et même sa propre vie, il ne peut être mon disciple[3]*. » L'anecdote de la puce qu'il s'accuse avec humilité d'avoir tuée avec trop d'irritation, Tartuffe l'a même prise textuellement dans la *Vie de saint Macaire l'Ancien*, qui vécut en Égypte au IVe siècle : Macaire se serait retiré au désert, paraît-il, pour y jeûner complètement nu pendant six mois pour avoir tué une de ces bestioles[4] !... Mais Tartuffe ne

---

1. Saint Paul, *Épître aux Philippiens*, III, 8.
2. C'est un vers de Corneille lui-même dans sa traduction de l'*Imitation de Jésus-Christ*. Saint Paul et l'*Imitation* parlent de *choses,* remarquons-le, non d'*êtres vivants.*
3. *Évangile selon saint Luc,* chapitre XIV.
4. On en trouvera le récit, au jour de sa fête dans le calendrier, dans la fameuse *Legenda aurea* rédigée en latin par Jacques de Voragine au XIIIe siècle et qui fut traduite les siècles suivants dans toutes les langues contemporaines. Qu'Orgon ait lu ce livre ou non, les scrupules de Tartuffe, en tout cas, font effet sur lui, ils lui paraissent d'un véritable saint.

cite jamais, Orgon ne se rappelle pas et ne veut pas se rappeler le premier de tous les commandements selon *l'Évangile* et le plus important avec celui de l'amour de Dieu : « *Aimez-vous les uns les autres comme je vous ai aimés... Oui, ayez ce même amour les uns pour les autres, c'est là le signe auquel tous reconnaîtront que vous êtes de mes disciples : vous aimer et garder mes commandements[1].* »

Orgon, lui, n'aime plus que Tartuffe, et soi-même à travers Tartuffe.

Il l'appelle son frère, et l'aime dans son âme
Cent fois plus qu'il ne fait mère, fils, fille et femme. [...]
Il le choie, il l'embrasse, et pour une maîtresse
On ne saurait, je pense, avoir plus de tendresse

(vers 185-190).

Ces vers ont même incliné certains commentateurs, parmi lesquels Roger Planchon, à évoquer chez le triste mari d'Elmire une possible tendance homosexuelle, inconsciente bien entendu... Pourquoi non ? On peut tout dire avec l'inconscient. Mais cette explication assez improbable est également bien peu utile. Ce qui est certain, c'est que Tartuffe a suscité ou ressuscité chez Orgon pour son intérêt exclusif, sous couvert de la charité et de l'oubli de soi, un égoïsme, un orgueil, une volonté dominatrice qui produisent vers la fin du 3e acte l'effet exact qu'il en attend.

Ah ! je vous brave tous, et vous ferai connaître
Qu'il faut qu'on m'obéisse et que je suis le maître

(vers 1129-1130).

Orgon est tellement « fou » de Tartuffe désormais, comme le disait Dorine, tellement persuadé qu'ils sont tous deux ensemble sur les chemins du Ciel, qu'il l'admire encore davantage lorsque celui-ci, accusé d'un acte précis, se charge aussitôt pour se disculper de tous les crimes possibles et imaginables, s'anéantit devant Orgon comme devant Dieu. Tartuffe est un saint puisque, à l'égal de tous les saints, il reconnaît qu'il pèche sept fois le jour malgré tous ses efforts, qu'il mérite la justice de Dieu.

Chaque instant de ma vie est chargé de souillures ;
Elle n'est qu'un amas de crimes et d'ordures ;

1. *Évangile selon saint Jean*, chapitre XIII.

Et je vois que le Ciel, pour ma punition,
Me veut mortifier en cette occasion.
De quelque grand forfait qu'on me puisse reprendre,
Je n'ai garde d'avoir l'orgueil de m'en défendre.
Croyez ce qu'on vous dit, armez votre courroux,
Et comme un criminel chassez-moi de chez vous

(vers 1077-1084).

Tartuffe joue à coup sûr. Orgon déjà ne peut plus supporter une seule seconde l'idée de son départ : son existence s'effondrerait, n'aurait plus de sens ! Et il répète en propres termes les phrases cruelles comme l'exclamation apitoyée du premier acte, preuve décisive que les deux sentiments provoqués par Tartuffe étaient bien ceux qui lui ouvriraient avec le plus de certitude la fortune d'Orgon. Après avoir chassé Damis, livré Mariane, commandé à Tartuffe de fréquenter Elmire à toute heure en dépit de tous, Orgon fait de lui son unique héritier. Il est incapable de s'affirmer autrement désormais que par Tartuffe, en dépouillant et en tyrannisant tous les siens.

Non, vous demeurerez : il y va de ma vie. [...]
Un bon et franc ami, que pour gendre je prends,
M'est bien plus cher que fils, que femme et que parents.
N'accepterez-vous pas ce que je vous propose ?
— La volonté du Ciel soit faite en toute chose !
— Le pauvre homme !

(vers 1165, 1179-1183).

Le « pauvre homme » a gagné ! Car il a su, en plus, se faire confier par Orgon des documents politiques compromettants pour que celui-ci puisse jurer « en toute conscience » qu'il ne les avait pas. Ni sa femme, ni ses enfants, ni lui-même ne pourront donc faire opposition à la donation illicite, sinon il les dénoncera ; la nasse est bien refermée. L'hypocrisie de Tartuffe, s'il avait pu s'y borner, serait totalement payante ; sa stratégie, avec un homme comme Orgon, était la bonne.

Mais peut-on jamais se borner à l'hypocrisie ? Comment un homme vivant pourrait-il rester simplement un masque ? S'il ne peut jamais le lever, à quoi bon ?

LES DIRECTEURS DE CONSCIENCE

Tartuffe est sensuel. Il aime et désire les femmes. C'est même probablement par attrait du beau sexe, autant que pour s'enrichir sans peine, qu'il a choisi cette profession si étonnante pour nous, mais si recherchée au XVIIᵉ siècle, de « directeur de conscience » prêtre ou laïc. Le « confesseur » restait toujours bien entendu un prêtre, souvent le curé de la paroisse. Mais, les curés étant très souvent considérés alors par les personnes de haut rang comme trop vulgaires, celles-ci préféraient s'en remettre de leurs affaires intimes, en général, à un « directeur de conscience » qu'elles choisissaient librement. Ainsi, beaucoup d'oisifs fortunés aujourd'hui ont leur psychologue ou psychanalyste personnel !... Ces directeurs étaient installés à demeure dans les grandes familles où ils s'occupaient parfois aussi de l'instruction des enfants, mais ce n'était pas là leur principal rôle. Ils avaient la charge des âmes.

Apostolat scrupuleux, pour les meilleurs. Pascal, qui travaillait les mathématiques et la physique avec le duc de Roannez, était le directeur de conscience de sa sœur ; nous avons de lui des lettres d'une sévérité aussi attentive qu'inébranlable. Mais pour les Tartuffes, pour les Onuphres[1], ou simplement pour les « petits collets » intéressés par la grande vie, quelles occasions ! La Bruyère, dont la foi n'est pas suspecte, nous donne des précisions sans ambiguïté : le soin des âmes est un prétexte, dit-il. Ce qui « *a semé dans le monde cette pépinière intarissable de directeurs* », c'est « *le goût qu'il y a à devenir le dépositaire des secrets des familles, à se rendre nécessaire pour les réconciliations,... à trouver les portes ouvertes dans les maisons des grands, à manger souvent à de bonnes tables* », etc. Or ces directeurs sont constamment avec les femmes qu'ils dirigent, ajoute La Bruyère, « *on les voit avec elles dans leur carrosse, dans les rues d'une ville et aux promenades, ainsi que dans leur banc à un sermon ; ils font avec elles les mêmes visites ; ils les accompagnent au bain, aux eaux, dans les voyages ; ils ont le plus commode*

---

1. C'est l'hypocrite de La Bruyère, un hypocrite parfait qui ne se laisse pas découvrir (*Les Caractères*, XIII, 24).

appartement chez elles à la campagne[1]...». Pour peu que ces femmes soient délaissées par leur mari, comme il arrive souvent, quelles consolations possibles, on le devine, quels drames cachés !

LE COUPLE TARTUFFE-ELMIRE

Tartuffe travaille à détacher Orgon d'Elmire, nous l'avons vu ; mais ce n'est pas seulement pour l'héritage. Si Orgon néglige sa femme, celle-ci sera insatisfaite, malheureuse, et Tartuffe espère bien en profiter. Autant il s'intéresse peu à Mariane — elle est trop insignifiante pour lui, et trop « oie blanche », elle n'a vraiment pas d'autre intérêt que sa dot —, autant Elmire le fascine par sa beauté épanouie, tranquille, précieuse, intelligente. Même Orgon s'est rendu compte de cette attention passionnée, pas seulement Dorine et Damis.

Je vois qu'il reprend tout, et qu'à ma femme même
Il prend, pour mon honneur, un intérêt extrême ;
Il m'avertit des gens qui lui font les yeux doux,
Et plus que moi six fois il s'en montre jaloux

(vers 301-304).

Elmire est vraiment pour Tartuffe El Mira, l'Admirable, la femme qu'il a toujours rêvée et qu'il n'a jamais pu approcher encore, mais aujourd'hui presque à sa portée, semble-t-il, et cependant aussi secrète, aussi lointaine bien qu'il la voie tous les jours, invinciblement attirante. Comment ne serait-il pas bouleversé lorsqu'elle demande à l'entretenir seul à seule, lorsqu'elle le prie d'ouvrir son cœur et de ne lui cacher rien (vers 904) ? Malgré lui il ne peut s'empêcher d'espérer.

On peut jouer et on a joué le début de la scène de plusieurs façons très différentes, mais nous savons par la *Lettre sur l'Imposteur* quelle était l'interprétation indiquée à Du Croisy en 1667 par la mise en scène de Molière. Après les premières phrases en forme de prière pour l'âme et *pour le corps* d'Elmire (empruntées à *l'Oraison du Salut pour la Sainte Vierge*), Tartuffe, sans le vouloir, sans même vraiment s'en rendre compte, touche « avec ferveur » les doigts d'Elmire, approche sa chaise de sa chaise, pose sa main sur son genou,

1. *Les Caractères*, III, 36 à 48.

s'extasie sur les points de dentelle de son corsage ! Il a perdu le contrôle de lui-même... Or Elmire se défend, avec courtoisie, mais avec netteté ; elle refuse le moindre geste équivoque et elle aborde franchement, dès qu'elle le peut, la question pour laquelle elle est venue :

On tient que mon mari veut dégager sa foi,
Et vous donner sa fille. Est-il vrai, dites-moi ?

(vers 923-924).

L'attaque sensuelle instinctive a donc totalement échoué. Tartuffe comprend qu'il doit se dominer, reprendre son rôle. Il va jouer maintenant le grand jeu de l'Amour idéal, non pas divin, bien sûr, mais issu de Dieu, voulu par Dieu, conduisant à Dieu. Dieu est la Beauté suprême, et de même que la splendeur des cieux étoilés chante la puissance du Créateur, de même la douce perfection des femmes pareilles à Elmire élève notre âme vers le Très-Haut : cela est Sa volonté.

Et je n'ai pu vous voir, parfaite créature,
Sans admirer en vous l'auteur de la nature,
Et d'une ardente amour sentir mon cœur atteint,
Au plus beau des portraits où lui-même il s'est peint. [...]
En vous est mon espoir, mon bien, ma quiétude,
De vous dépend ma peine ou ma béatitude ; [...]
Que si vous contemplez d'une âme un peu bénigne
Les tribulations de votre esclave indigne, [...]
J'aurai toujours pour vous, ô suave merveille,
Un(e) dévotion à nulle autre pareille[1]

(vers 941-944, 957-958, 981-982, 985-986).

L'ADORATION AMOUREUSE

Tartuffe a pleine conscience que cette « dévotion » ne lui suffit pas. De quelque façon qu'il puisse dire les vers, aucun spectateur n'hésite sur ce point au théâtre, sa sensualité est toujours présente. Mais il ne ment pas, bien qu'il joue ; il est

---

1. Si l'on veut donner au vers toute sa puissance expressive, il faut dire très légèrement l'e muet de *une* (remplacée dans le rythme par ce qu'on appelle en musique un soupir) et dégager ainsi totalement le mot *dévoti-on* qui compte d'ailleurs pour 4 pieds. Le terme est alors mis comme entre guillemets et signifie de façon très expressive « adoration passionnée, don de soi total », comme à une divinité.

sincère. Quel autre langage que celui de la religion pourrait-il employer pour exprimer son amour ? C'est le plus beau qu'il connaisse et il le manie d'ailleurs admirablement. Elmire, qui aime les belles-lettres, l'apprécie en connaisseuse, avant d'y répondre par un refus.

La déclaration est tout à fait galante... (vers 961).

Bien entendu, ce style mystico-sensuel a fait crier au sacrilège contre Molière. Molière a répondu, comme toujours, qu'il avait simplement observé les hommes. Et Jacques Scherer, en effet, Antoine Adam ont pu citer des textes réels du XVIIᵉ siècle, beaucoup moins réussis sans doute que la déclaration de Tartuffe, mais où le mélange des expressions religieuses et profanes est encore plus extraordinaire. De quelle invraisemblance on les aurait taxées si on les avait trouvées dans une œuvre théâtrale !

Voici en quels termes l'abbé Charpy-de-Sainte-Croix dédicace un livre de piété, son *Catéchisme eucharistique,* à la princesse royale de Savoie : « *C'est par la grâce corporelle de Jésus-Christ, Madame, que la beauté corporelle qui a semblé dès votre enfance être parfaite en vous est devenue un charme universel... Lorsque je me laisse échapper à dire quelque chose de cette prodigieuse effusion de grâce corporelle que Jésus-Christ a faite en vous, je ne le fais que pour apprendre à toute la terre que votre chair est déjà presque toute changée en celle du Sauveur qui vous sert si souvent de nourriture... Elle est comme transformée en celle de Jésus-Christ, elle entre dans ses inclinations divines, et elle divinise en certaine manière tous ceux en qui elle fait quelques impressions*[1]. »

Et l'abbé Sébastien Locatelli, qui s'efforçait d'être vertueux, nous dit Antoine Adam, confesse avec regret dans une page de son *Voyage en France* : « *Mon penchant pour les femmes m'avait contraint à me prosterner plusieurs fois devant l'autel de la beauté, pour y adorer le Créateur et peut-être la créature.* »

Il faut dire davantage encore. De nombreux poètes, lorsqu'ils ont voulu chanter leur amour, ont eu recours *sans hypocrisie aucune* (beaucoup étaient agnostiques et le disaient)

1. Ce texte, que nous avons été obligé de beaucoup raccourcir, est de 1668, donc postérieur à la rédaction de *Tartuffe.*

à un langage religieux, tout simplement parce que le langage religieux est une des expressions les plus naturelles de l'exaltation amoureuse. On a toujours tendance à *adorer* l'être qu'on aime.

> Comme les croyants font des litanies
> Pour louer sans fin la Vierge Marie
> Ainsi j'ai besoin de chanter toujours
> Mon amour.
> O toi l'aimant de mon désir
> Mon feu sacré, mon élixir...
> Mon arc-en-ciel, ma source douce[1]...

Baudelaire a consacré aux femmes qu'il aimait, et pas seulement à Madame Sabatier, des *hymnes,* des *ex-voto.* Il leur demande dans ses lettres comme dans ses poèmes (ce n'est donc pas uniquement de la « littérature ») : *« Soyez mon Ange Gardien, ma Muse et ma Madone. »* Il a des élans que ne trouverait jamais Tartuffe, sans aucune onction douteuse, sans fausseté, mais qui relèvent du même sentiment profond de grandir jusqu'à l'infini la femme aimée :

> Je t'adore à l'égal de la voûte nocturne [...]
> A la très chère, à la très belle,
> Qui remplit mon cœur de clarté,
> A l'ange, à l'idole immortelle,
> Salut en l'immortalité [...]
> Vous verrez mes pensers, rangés comme des cierges,
> Devant l'autel fleuri de la Reine des Vierges[2]...

LA RÉALITÉ DÉMASQUÉE

Seulement, Tartuffe est bien obligé à partir d'un certain moment de dévoiler ce qu'il est, puisqu'il convoite la chair ; il ne peut plus, même en apparence, respecter la morale dévote. Il lui faut obtenir la complicité, *jusque dans son hypocrisie,* de celle qu'il désire. Et le même homme qui juste avant cette scène se scandalisait du sein de Dorine un peu trop découvert propose maintenant à une femme mariée qu'il déclare respecter par-dessus tout, à la femme de l'homme qui l'a tiré

1. *Litanies d'amour,* poème de Pierre Alcé, musique d'Odette Gartenlaub.
2. Baudelaire, *Les Fleurs du Mal.*

de la misère et dans la maison même de son hôte, un pauvre adultère clandestin qui ne peut absolument pas, telle qu'elle est, la rendre heureuse ; il lui propose uniquement « du plaisir », « du plaisir sans peur » ! (vers 1000).

Il a beau essayer de présenter encore la chose comme un hommage à Elmire en opposant son attitude de secret à la fatuité égoïste des amants mondains qui se vantent de leurs conquêtes, il ne peut faire que son attitude n'apparaisse maintenant comme le démenti total de ses adorations exaltées de tout à l'heure. N'aurait-il eu qu'une chance de séduire Elmire, il l'a perdue. Les passions sournoises lui répugnent, et elle peut lui imposer maintenant, sous la menace de révéler ce qu'il est, de renoncer à la dot de Mariane et de presser l'union de la jeune fille avec Valère... Sans l'intervention irréfléchie de Damis, Tartuffe devrait céder, il aurait déjà échoué dans cette scène sur deux points essentiels : épouser la fille lui serait aussi impossible que suborner la mère. De nouveau, il devrait se rabattre sur le seul Orgon, tâche facile sans doute, mais peu exaltante.

La pièce, admirablement agencée, rebondit pourtant, nous l'avons vu, et le début du 4ᵉ acte est de nouveau tendu comme un drame d'Ibsen. Incapables l'un et l'autre de se maîtriser, le fils et le père ont de nouveau tout compromis. Orgon, toujours en vertu de ses beaux principes de renoncement au *fumier* des affections terrestres, résiste aux supplications pathétiques de Mariane, à son propre attendrissement de père :

Allons, ferme, mon cœur, point de faiblesse humaine
(vers 1293).

Et c'est de nouveau la seule Elmire qui peut démasquer Tartuffe devant Orgon même, lui faire entendre de ses propres oreilles, prononcées par son dévot, les paroles qu'elle a entendues elle-même, c'est-à-dire l'aveu de son immoralité, de sa volonté d'adultère. Elle le peut, et donc à son avis elle le doit. Elle veut sauver Mariane, vouée par son père pour toute son existence à l'esclavage d'un homme déloyal[1] — et elle veut aussi, par dignité, par réflexe naturel d'une femme qui n'a pas

1. Le divorce n'existait pas au XVIIᵉ siècle ; tous les mariages étaient religieux, donc indissolubles.

réussi à se faire croire de son mari sur un point essentiel, lui prouver sans discussion ultérieure possible que c'était lui l'aveuglé, qu'elle méritait confiance !... C'est d'ailleurs là aussi la raison unique pour laquelle Orgon accepte d'aller sous la table : il met sa femme au défi, elle n'arrivera pas à démasquer Tartuffe puisque c'est impossible.

Je confesse qu'ici ma complaisance est grande ;
Mais de votre entreprise il vous faut voir sortir

(vers 1366-1367).

LA RÉSOLUTION D'ELMIRE

Elmire va donc employer contre Tartuffe, apparemment, les mêmes moyens que Tartuffe, lui offrir ses « douceurs », flatter avec adresse « ses désirs », lui promettre le champ libre (vers 1373-1376). Devient-elle elle-même hypocrite ? Un certain nombre de critiques l'ont affirmé, allant même jusqu'à dire « *qu'Elmire dans cette scène est plus coupable que Tartuffe puisque c'est elle qui le cherche, qui l'agace, le conduit pas à pas, avec un artifice dont le plus vertueux aurait peine à se défendre, aux entreprises les plus criminelles*[1] ». Effectivement, des actrices sont parvenues à jouer le rôle avec une sorte de jubilation coquette et perverse, en y ajoutant même toutes sortes de sous-entendus grivois. Mais elles sont obligées pour cela de contredire les indications de Molière lui-même[2]. Elmire joue son jeu en effet, mais devant son mari et de la façon la plus ouverte ; bien loin de vouloir passer à quelque acte que ce soit, comme l'en accuse un ennemi anonyme de Molière, elle a demandé, elle demande et elle redemande à son mari d'intervenir dès qu'il lui paraîtra bon, *d'épargner sa femme* et de ne l'exposer qu'autant qu'il le jugera indispensable. L'étude minutieuse du style confirme d'ailleurs tout à fait non seulement l'habileté, mais le trouble et la honte d'Elmire, conformes au caractère d'honnêteté qu'elle a toujours fait voir jusqu'ici et qu'elle garde jusqu'à la fin[3].

1. Abbé de La Tour, *Réflexions sur le théâtre*, parues entre 1763 et 1778.
2. Voir ici encore, dans la *Lettre sur l'Imposteur*, la manière dont Armande jouait le rôle dans la mise en scène de Molière en 1667.
3. *Lettre sur l'Imposteur*.

Molière n'a pas écrit, volontairement, de phrase plus embarrassée que la fin de la déclaration d'Elmire pour effacer la méfiance de Tartuffe. Toute comédienne fidèle au texte est obligée ici d'hésiter, de hacher les vers, d'appuyer sur leur lourdeur, de donner même l'impression[1] qu'elle ne va pas pouvoir arriver au bout de ce qu'elle veut dire (c'est ainsi que le jouait Mlle Mars) :

> *Qu*'est-ce *que* cette instance a dû vous faire entendre,
> *Que* l'intérêt *qu*'en vous on s'avise de prendre,
> Et l'ennui *qu*'on aurait *que* ce nœud *qu*'on résout
> Vînt partager du moins un cœur *que* l'on veut tout ?

> (vers 1433-1436).

La fameuse tirade des « *on* » est encore plus claire (vers 1507-1520). Tartuffe n'arrive pas à croire vraiment aux propos d'Elmire, et l'offre de son cœur de toute façon est insuffisante pour lui, c'est le corps qu'il veut ; il exige des preuves tout de suite, des faveurs immédiates, des « réalités ». Elmire tousse (trois fois), frappe sur la table, appelle son mari du pied, multiplie les phrases à double sens où le pronom indéfini peut désigner aussi bien Orgon que Tartuffe, et finalement, désespérant d'un homme qui ne se résout toujours pas à intervenir bien que l'hypocrite ait déjà révélé ses pires maximes, cette femme qui est au supplice (elle le dit en propres termes au vers 1497) assure elle-même sa propre défense en *obligeant* Tartuffe à vérifier une fois de plus qu'il n'y a personne à côté, que son époux n'est point dans la galerie :

> Il n'importe, sortez, je vous prie, un moment,
> Et partout là dehors voyez exactement

> (vers 1527-1528).

Tartuffe doit obéir ! Et il le fait sans trop de crainte, car il n'a rien compris au jeu des « on », bien qu'il le croie[2]. L'hypocrite amoureux est maintenant, devant nous, aussi aveuglé par son désir que l'homme sous la table par sa passion dévote. Il ne discerne plus les choses les plus claires !... Sa complice n'a jamais été sa complice. Elle se refuse à lui. Elle lui échappe et elle le démasque.

1. Tartuffe, naturellement, interprète le trouble d'Elmire comme une manifestation de pudeur amoureuse.
2. « Oui, Madame, ON s'en charge » (vers 1520).

LA CASUISTIQUE

Molière dans cette scène, et en précisant avec netteté : « *C'est un scélérat qui parle* », a été obligé de répéter crûment les maximes les plus pernicieuses des casuistes, celles qui affirment non pas que la fin justifie les moyens (le jésuite Escobar lui-même a dit expressément le contraire[1]), mais que l'intention, habilement dirigée, justifie le mal de l'action, ou en tout cas le *rectifie* (vers 1491-1492) : seul le scandale, et l'aberration diabolique de vouloir le péché pour le péché, sont criminels. Mentir, tromper, tuer même, à plus forte raison suivre ses penchants naturels ne sont en somme que des fautes vénielles, « humaines » en tout cas, puisque l'intention n'est pas perverse.

Le Ciel défend, de vrai, certains contentements,
Mais on trouve avec lui des accommodements
(vers 1487-1488).

Pascal, par sa rigueur et son humour, n'avait pas eu de peine à montrer à tous dans *Les Provinciales*, quelques années plus tôt, que c'étaient là des propositions non seulement impies, mais absurdes. Comment s'imaginer qu'on pourra tromper Dieu sur une seule intention si l'on croit vraiment en lui[2] ? Il sonde les reins et les cœurs, dit la Bible. Même Orgon ne se laissera plus prendre à de pareils recours lorsqu'il aura enfin les yeux dessillés. Tartuffe comprend presque tout de suite qu'il n'acceptera plus désormais l'excuse d'aucun prétexte, par exemple qu'il fallait mettre réellement à l'épreuve, pour en être sûr, la vertu d'Elmire ! Orgon peut bien demeurer au cinquième acte le même homme emporté, coléreux, injuste, passionné, allant toujours d'un extrême à l'autre, du moins est-il désormais édifié sur ce que peut être l'hypocrisie dévote et casuiste. Il reconnaît humblement,

1. « La bonté de la fin ne rejaillit pas sur un acte qui, dans son objet même, est mauvais ; cet acte demeure, de toute façon, simplement mauvais... Un acte mauvais n'est pas susceptible d'avoir, moralement parlant, un caractère de bonté. »
2. « On peut jurer qu'on n'a pas fait une chose, quoiqu'on l'ait faite effectivement, en entendant en soi-même qu'on ne l'a pas faite un certain jour, ou avant qu'on fût né ou en sous-entendant quelque autre circonstance pareille [...] ; cela est fort commode en beaucoup de rencontres, et est toujours très juste, quand cela est nécessaire ou utile pour la santé, l'honneur ou le bien » (Pascal, *Neuvième Provinciale*).

pauvrement, au cinquième acte, et en employant les mots exacts cette fois, qu'il ne peut y avoir « pleine sûreté » pour la conscience, envers un pouvoir légitime, « à faire des serments contre la vérité » (vers 1591-1592).

L'HYPOCRISIE, « CAS RÉSERVÉ »

L'œuvre pourrait s'achever ainsi, semble-t-il : Tartuffe est percé à jour et Orgon démystifié ; Valère peut épouser Mariane et Elmire prendre enfin dans la maison l'autorité qu'elle mérite. Molière continue sa pièce pourtant grâce à l'épisode de la cassette qui rétablit une nouvelle fois l'intérêt dramatique. Il ne nous a pas tout dit encore de ce qui lui tient à cœur et que beaucoup n'ont pas voulu voir.

Nous avons découvert tout à l'heure qu'un certain nombre de critiques de la pièce mettaient presque dans le même sac Tartuffe et Elmire, allant jusqu'à affirmer qu'Elmire est la plus perfide : « *Elmire est une hypocrite de crime comme Tartuffe un hypocrite de vertu*, écrivait l'abbé de La Tour[1] ; ... *son personnage est d'une infamie dont le théâtre fournit peu d'exemples.* » Paul Léautaud était du même avis : « *La coquine, dans cette histoire, c'est Elmire, bien plus que Tartuffe est un coquin. Tartuffe est comique parce qu'il se laisse prendre mais la coquine c'est Elmire[2].* » Encore aujourd'hui, Jacques Guicharnaud indique dans le même sens quoique plus prudemment : « *Si l'intention d'Elmire est totalement « bonne »*, il n'en reste pas moins que les actes, eux, *sont condamnables* [...] *On entrevoit, dans la tactique d'Elmire, une nuance de casuistique — de vraie casuistique, cette fois-ci[3].* »

Curieuses appréciations !... Elmire doit la vérité à son mari, elle ne la doit pas à Tartuffe qui la pousse à le trahir tout en convoitant la dot de Mariane[4]. Au nom de la pureté, selon certains, Elmire n'aurait pas le droit, « par des douceurs », de

1. *Réflexions sur le théâtre*, parues entre 1763 et 1778.
2. *Théâtre de Maurice Boissard*, Recueil de critiques dramatiques, Gallimard, 1958.
3. *Molière, une aventure théâtrale*, Gallimard, 1974.
4. *On ne doit pas toujours la vérité*. Les Français sous l'Occupation, devaient-ils la vérité à la Gestapo ?

démasquer Tartuffe ; au nom du respect des choses saintes, selon Lamoignon et Péréfixe, Molière n'aurait pas le droit, par le rire, de démasquer l'hypocrisie. C'est trop dangereux ! « *La vraie et la fausse dévotion*, explique Bourdaloue, *ont je ne sais combien d'actions qui leur sont communes ; comme les dehors de l'une et de l'autre sont presque tout semblables, il est non seulement aisé, mais d'une suite presque nécessaire, que la même raillerie qui attaque l'une intéresse l'autre, et que les traits dont on peint celle-ci défigurent celle-là, à moins qu'on n'y apporte toutes les précautions d'une charité prudente, exacte et bien intentionnée ; ce que le libertinage n'est pas en disposition de faire*[1]. »

Seuls donc, d'après Bourdaloue, quelques prédicateurs peuvent le tenter de loin en loin, avec d'infinies précautions. L'Église officielle paraît même se résigner sur ce point à l'impuissance, réservant ses forces contre de pires dangers : « *L'hypocrisie est certes un vice méprisable*, estime le Dictionnaire de Théologie catholique, *mais moins odieux que de braver ouvertement les coutumes les plus saintes et de vilipender ouvertement les lois sous prétexte de franchise et de sincérité. Le respect, même simplement extérieur, des lois de Dieu et de l'Église est déjà un certain hommage rendu à la sainteté de ses préceptes par les lâches qui n'ont pas le courage de les observer.* » C'était déjà là, notons-le, l'opinion de saint Augustin : « *L'hypocrisie*, dit-il, *est cette ivraie de l'Évangile, que l'on ne peut arracher sans déraciner en même temps le bon grain. Laissons-la croître jusqu'à la moisson, selon le conseil du père de famille, pour ne nous point mettre en danger de confondre avec elle les fruits de la grâce et les saintes semences d'une piété sincère et véritable*[2]. »

LE RÔLE DE MOLIÈRE ET CELUI DU ROI

La conséquence est facile à déduire et elle est vérifiée par les faits. Molière l'exprime dans la pièce qui suit immédiatement

1. *Sermons* (édition de 1716), p. 314.
2. Phrases déjà citées par Georges Couton dans son article de la *Revue d'Histoire littéraire de la France* de mai 1969, intitulé de façon significative : Réflexions sur *Tartuffe* et le péché d'hypocrisie, « cas réservé ».

Tartuffe par la bouche de dom Juan : « *La profession d'hypocrite a de merveilleux avantages. C'est un art de qui l'imposture est toujours respectée ; et quoique on la découvre, on n'ose rien dire contre elle. Tous les autres vices des hommes sont exposés à la censure, et chacun a la liberté de les attaquer hautement ; mais l'hypocrisie est un vice privilégié, qui, de sa main, ferme la bouche à tout le monde, et jouit en repos d'une impunité souveraine.* » (Acte V, sc. 2).

Et, en effet, même démasqué, l'hypocrite continue d'ordinaire à se réclamer de l'Église qu'il bafoue. Tartuffe a beau être pris sur le fait, c'est « pour venger le Ciel » humilié en sa personne qu'il dénonce Orgon (vers 1563), et de même lorsque la pièce de Molière paraît, ce ne sont pas les hypocrites qui sont voués au feu par le curé Roullé, c'est Molière lui-même, parce qu'il les attaque et que cela ne lui est pas permis !... Cela, comme on sait, est toujours actuel. Combien d'hommes de parti sont plus furieux contre ceux qui dénoncent un scandale à l'intérieur de leur parti que contre ceux qui l'ont causé. Au lieu d'agir contre la torture, des ministres et des généraux ont dénoncé ceux qui la révélaient pendant notre guerre d'Algérie ; au lieu de se révolter contre les camps soviétiques, les chefs communistes, pendant des années, ont accusé de trahison ceux qui en parlaient.

Voilà pourquoi Molière ajoute à *Tartuffe* son cinquième acte : non seulement pour montrer dans toute leur étendue les désastres causés par un seul hypocrite, mais pour justifier dans ce domaine, en l'absence d'une action de l'Église, l'intervention de l'État et la sienne propre. Tartuffe, en vingt-quatre heures, n'a-t-il pas changé de « maître suprême » ? Il emploie pour justifier sa trahison nouvelle exactement les mêmes formules qu'il enseignait hier à Orgon :

Mais l'intérêt du Prince est mon premier devoir ;
De ce devoir sacré la juste violence
Étouffe dans mon cœur toute reconnaissance,
Et je sacrifierais à de si puissants nœuds
Amis, femme, parents, et moi-même avec eux

      (vers 1880-1884 à comparer aux vers 278-279).

Molière l'affirme solennellement dans la préface de sa pièce : il a le droit, lui, auteur comique, d'attaquer l'hypocrisie sur son théâtre quoiqu'on lui en fasse grief « *parce* que l'emploi de la comédie est de corriger les vices des hommes et qu'il ne voit pas par quelle raison il y en aurait des privilégiés » ; et Molière affirme avec la même solennité dans la phrase qui suit : le Roi a, encore davantage, le droit et le devoir de traquer l'hypocrisie où qu'elle puisse se trouver dans son royaume, parce que, « dans l'État, ce vice-là est d'une conséquence bien plus dangereuse que tous les autres ».

Le dénouement est donc bien partie intégrante de l'œuvre. Molière peut affirmer, en 1669 :

Nous vivons sous un prince ennemi de la fraude,
Un prince dont les yeux se font jour dans les cœurs,
Et que ne peut tromper tout l'art des imposteurs
                      (vers 1906-1908).

Le président du Parlement, l'archevêque de Paris, l'Église n'osent pas faire, réellement, la distinction entre les vrais et les faux hommes de bien. Le Roi, lui, a le courage de son « discernement » :

Son amour pour les vrais ne ferme point son cœur
A tout ce que les faux doivent donner d'horreur
                      (vers 1915-1916).

Ainsi, par la tirade majestueuse de l'Exempt, chaque personnage à la fin de Tartuffe est traité exactement selon ses mérites, sur la scène et hors de la scène. Les hypocrites sont punis, et ceux qui, par faiblesse ou pour quelque raison que ce soit, interdisaient de les percer à jour sont désavoués. Ils avaient tort d'interdire la pièce et ils assisteront à son triomphe ; leurs raisons contre Molière ne sont plus admises !

Tartuffe, qui s'est identifié à son rôle au point d'aller lui-même quérir la justice, lui recherché par la justice, réfléchira en prison sur les conséquences de l'imposture et le pouvoir du souverain — ainsi peut-être que sur la sagesse des femmes. Le mensonge ne paie jamais à long terme, ni dans une société ordonnée, ni en amour. Le bonheur humain, comme la paix publique, exige la confiance.

Cette fois, la pièce est complète. Exigé par l'inspiration même de Molière, conséquence de l'intrigue, amené de façon très adroite par un retournement subit du dernier personnage arrivé sur le théâtre, le dénouement de *Tartuffe* nous apparaît à la fois aujourd'hui comme naturel et comme nécessaire, fidèle en même temps à la vérité historique[1] et à la vérité morale. Apothéose euphorisante entièrement conforme aux désirs des spectateurs, comme le dit Jacques Scherer[2], il termine dans une « gloire » poétique très harmonieuse une pièce complexe et tendue qui a souvent frôlé le drame sans jamais y tomber vraiment. Le rideau se ferme sur la joie de tous.

---

1. ... la réalité historique de 1669, bien entendu. Quand Louis XIV deviendra dévot, vers 1683, la situation empirera rapidement dans tous les domaines : la Révocation de l'Édit de Nantes videra le royaume de centaines de milliers de bons serviteurs, les jansénistes seront persécutés, les guerres succéderont aux guerres, la France connaîtra même, d'après le bon observateur qu'est Vauban, la famine.
2. Jacques Scherer, *Structures de Tartuffe*, Sedès, 1975, p. 207.

Le comique et la vérité 5

Dans un discours officiel à Nice sur les relations internationales, le 22 octobre 1960, de Gaulle commentait à sa façon les efforts d'une grande puissance pour s'immiscer en Asie du Sud et en Afrique : « *C'est l'histoire de Tartuffe qui se faisait le champion de la vertu pour avoir accès auprès des femmes*[1]. »

Le mot était cocasse et il fit sourire les auditeurs du monde entier, même ceux qui ne connaissaient pas Molière. Mais il permet aussi de bien discerner, je crois, l'espèce de joie particulière éprouvée par le public lors des grandes scènes des troisième et quatrième actes avec Elmire. On ne rit pas, on ne s'exclame jamais, mais, guidé par Molière, on découvre avec une attention merveilleusement lucide le vrai qui se dévoile sous le faux, la crudité du désir et de l'égoïsme sous les grands mots dont Tartuffe les affuble encore.

Tartuffe est malin, très malin, il est même en grande partie sincère dans sa déclaration, il est ému... mais Elmire, elle, a l'intelligence et la finesse ; comme son frère Cléante, et sans avoir besoin de « raisons » comme lui, elle écarte tout de suite les apparences, elle pèse les actes accomplis ou demandés, non les paroles. Dès lors les spectateurs participent en quelque sorte de sa finesse ; ils « admirent » comme elle les modulations savantes du dévot sur le grand thème de l'amour, son art d'envelopper et de développer harmonieusement les choses,

1. Méfiez-vous des interprétations hâtives, la grande puissance visée par de Gaulle n'est pas forcément celle à laquelle vous pouvez penser.

mais ils discernent constamment, en filigrane, l'hypocrisie de base sous les variations de la fugue, exactement comme les auditeurs de De Gaulle les appétits impérialistes de grande puissance sous les professions de foi libérale ou socialiste.

L'ANALYSE PAR L'IRONIE

Elmire songe avant tout à sauver Mariane, et c'est par la seule ironie d'abord qu'elle repousse Tartuffe.

Vous deviez, ce me semble, armer mieux votre sein,
Et raisonner un peu sur un pareil dessein,
Un dévot comme vous...   (vers 963-965).

Seulement Tartuffe aussi arrive à répondre par le sourire. L'acteur Fernand Ledoux était admirable ici pour faire passer les aveux mêmes de sa duplicité non pas comme des excuses, mais comme la reconnaissance bien obligée de l'évidence la plus indéniable, énoncée sur un ton complice.

Mais, Madame, après tout, je ne suis pas un ange...
(Veuillez considérer), en regardant votre air,
Que l'on n'est pas aveugle, et qu'un homme est de chair
                              (vers 970, 1011-1012).

Comment Elmire pourrait-elle le contredire ? Tartuffe dit vrai, aucun homme n'est un ange. Chacun de nous a un sexe — les dévots aussi, comme il l'affirme. Molière lui fait utiliser sans hésiter les arguments les plus forts, ceux-là mêmes avec lesquels un spectateur moderne ne peut qu'être d'accord : on ne badine pas avec l'instinct sexuel ; il faut lui donner sa part légitime, qui est grande. Mais le ridicule jaillit quand même de ces protestations avec une évidence encore plus grande. Car Tartuffe oublie volontairement tout le reste, et à la vérité l'essentiel : la nécessité de l'amour complet et de la franchise pour le bonheur, la prise en considération nécessaire de la situation réelle d'Elmire s'il a pour elle l'affection qu'il prétend. Les spectateurs entendent tellement bien sous les roueries de Tartuffe la réalité sordide de ses propositions que beaucoup d'entre eux n'oseront plus jamais employer de moyens pareils après avoir vu la pièce, estime la *Lettre sur l'Imposteur*, qu'aucune Elmire ne pourra plus s'y laisser prendre : « *Le ridicule est la forme extérieure et sensible que*

*la providence de la nature a attachée à tout ce qui est
déraisonnable... Nous estimons ridicule ce qui manque
extrêmement de raison. »*

Nous avons aujourd'hui dans beaucoup de pièces ou de
films modernes des scènes analogues où nous nous deman-
dons parfois si telle jolie femme intelligente ne va pas se laisser
prendre, parce qu'elle est trop seule, au « baratin » habile d'un
faux dom Juan dont les intentions véritables sont pourtant
claires comme le jour. Molière a écrit la première de ses
grandes analyses vivantes, et l'une des plus belles, aussi
précieuse, aussi solide que du Marivaux, mais plus forte, plus
efficace, avec toujours, sous-jacente, l'impitoyable satire des
dévots.

LA FARCE TRAGIQUE

La deuxième scène Tartuffe-Elmire, celle du quatrième acte,
garde encore quelque chose de ce charme ; nous suivons
toujours avec admiration quoique non sans inquiétude la
difficile tentative d'Elmire : va-t-elle parvenir à tromper le
trompeur, à séduire un homme si roué, si prudemment sur ses
gardes ?... Mais l'effet sur le spectateur ne peut pas rester le
même : Orgon est sous la table. Nous ne le voyons pas (c'était
une absurdité de lui faire montrer la tête de temps en temps,
aucun metteur en scène ne la commet plus), mais sa présence
invisible se fait à chaque vers plus obsédante pour nous à
mesure que Tartuffe devient plus décidé et plus cynique.
L'hypocrite est bien incapable de faire des phrases désormais,
il est prêt à tout pour satisfaire sa passion et s'assurer qu'on ne
le trompe pas, il veut « jouir » de son triomphe avant que de
rien croire (vers 1462). Orgon va-t-il obliger Elmire à se
défendre seule contre un homme pareillement résolu ?

Molière (qui jouait lui-même le rôle d'Orgon) n'a pas hésité
à nous montrer le personnage du dévot sous sa forme la plus
basse, la plus grotesque. C'est un grand bourgeois chef de
famille, c'est un homme autrefois courageux et sage, qui laisse
devant nous, sans un mot, assaillir sa femme par un ruffian,
qui ne répond à aucun des appels qu'elle lui lance. La scène
relève encore de la farce sans doute, Orgon est même prévenu

en fin de compte, sous le tapis, par un coup de pied, et c'est une pauvre tête de clown, « hébété », « assommé », qui apparaît enfin lorsque Elmire a réussi à faire sortir Tartuffe. Mais on peut vraiment ici parler de *farce tragique,* comme dans les scènes, de clowns précisément, à la fin de *L'Ange bleu,* lorsque le vieux professeur joué par Unrath a descendu toute l'échelle des humiliations pour complaire à Lola-Marlène Dietrich. Même si le metteur en scène s'arrange, lorsque Tartuffe rentre, pour lui faire embrasser Orgon brusquement surgi alors qu'il croyait embrasser Elmire[1], le rire ne se rétablit pas, sauf pour une sorte de détente nerveuse : nous sommes soulagés qu'Elmire ait pu se sauver elle-même par un dernier artifice adroit. Mais comment ne pas la plaindre de retomber sous l'autorité d'un mari qui nous est apparu aussi sot et aussi lâche, même s'il est maintenant démystifié ? La fin de l'acte d'ailleurs est grosse des menaces de Tartuffe. Ce n'est plus de Marivaux que nous sommes proches, mais du « drame bourgeois » : un Diderot qui aurait le génie du théâtre.

LA « FOLIE » D'ORGON

A vrai dire, il n'est pas d'autre manière de jouer Orgon que de jouer le plus exactement possible sa « folie », son « aliénation » totale. Le mot « fou », « fou de Tartuffe », nous est répété plusieurs fois à son sujet aussi bien par Cléante que par Dorine (vers 195 et 311), et si le mot « aliéné » n'existait pas au XVIIe siècle dans son sens actuel (devenu *autre* que soi-même sous l'influence de quelqu'un, de la propagande, du milieu social, etc.[2]), Molière nous a pourtant indiqué de la façon la plus nette que c'était bien là le mal d'Orgon :

Oui, je deviens *tout autre* avec son entretien...   (v. 275).

Par nature, il est vrai, c'est un homme impulsif, emporté, obstiné, têtu, le contraire même d'un homme prudent et onctueux. Il commande à tort et à travers, il se laisse prendre à tous les pièges de Dorine[3] il n'admet aucune discussion, il est même

1. Ce jeu de scène ne figure pas dans le texte, mais il nous est rapporté par la *Lettre sur l'Imposteur* (représentation de 1667).
2. *Alienus, a, um,* est formé sur *alius, ud,* autre.
3. Voir en particulier les vers 537 à 585.

parfois sadique — « *mais faire de lui un simple bourgeois bourru et entêté*, dit avec raison l'un de ses interprètes les plus célèbres, *ne pas jouer sa folie, c'est réduire considérablement les proportions de l'œuvre. Plus il sera sincère et convaincu, plus sa folie apparaîtra, et plus le rôle prendra de vie et d'intensité*[1] ». Jacques Charon arrivait à suggérer cette espèce de foi éperdue du personnage par un regard lointain, hors de ce monde, tout à des visions de pureté et de douceur extrêmement apaisantes[2] pour quelqu'un comme lui, qui est constamment repris par ses nerfs.

LE COMIQUE DE CONTRADICTION

Le comique peut naître alors, très souvent, d'une opposition totale entre les trois hommes qu'Orgon porte en lui : l'homme emporté et « soupe-au-lait », intraitable dans les convictions et les sentiments qui ont pris tout pouvoir sur lui ; l'homme enclin au mysticisme qui voudrait toujours rester dans le calme des enfants de Dieu ; et enfin le brave homme plein de bonté qu'il était sans doute naguère, l'homme qui se surprend encore à plaindre Mariane, l'homme qu'Elmire défend bien qu'elle ne le reconnaisse plus dans son aveuglement[3], l'homme que Damis et Valère voudront essayer de sauver.

Ses exclamations les plus grotesques : « *Un bâton ! un bâton ! Ne me retenez pas !* » parviennent à faire rire même dans la scène la plus dramatique, justement parce qu'elles expriment très bien cette complexité étrange. Tartuffe ne le retient pas, mais Orgon souhaite malgré lui, en effet, que Tartuffe le retienne — il serait capable, autrement, de battre son fils ; or il le veut et il ne le veut pas à la fois, par amour paternel d'abord — il aime Damis au fond, il aime Mariane —, et pour ne pas retomber dans son péché habituel, la colère.

1. Fernand Ledoux, mise en scène de *Tartuffe* (éd. du Seuil), p. 15. Fernand Ledoux a joué aussi bien selon les périodes le rôle de Tartuffe que celui d'Orgon.
2. « Qui suit bien ses leçons goûte une *paix* profonde », ce vers donne une indication essentielle qui ne doit être négligée par aucun des interprètes du rôle.
3. « A voir ce que je vois, je ne sais plus que dire,
Et votre aveuglement fait que je vous *admire*...
J'admire, encor un coup, cette faiblesse étrange » (vers 1313-1314 et 1338) (*admirer* a son sens étymologique très fort de s'*étonner*, être comme frappé par le *tonnerre* de stupéfaction).

Ce sont exactement les deux registres, remarquons-le, sur lesquels avait joué Dorine au deuxième acte pour notre plus grand plaisir : Dorine soutient à Orgon, malgré tout ce qu'il dit, qu'il est bon et qu'elle l'aime comme un brave père de famille, et aussitôt après elle le pousse à bout jusqu'à ce qu'il éclate, l'arrêtant alors tout à coup par le reproche auquel il ne peut rien répondre :

Ah ! vous êtes dévot, et vous vous emportez ?

(vers 552).

Au théâtre, la pauvre mine déconfite d'Orgon, ici, face à la rondeur heureuse de la brave Dorine, produit immanquablement son effet.

Plus amers forcément, bien que le ridicule en soit très visible, les passages où l'aliénation se dénonce elle-même. Dans le fameux récit des premières rencontres Orgon-Tartuffe à l'église, Cléante n'a aucun besoin d'intervenir ; c'est Orgon tout seul qui nous découvre l'hypocrisie de son protégé en interprétant comme des signes de dévotion réels les « soupirs », les « élancements », les protestations d'humilité, les charités ostentatoires multipliés par le faux dévot. On critique parfois ce passage comme exagéré, mais n'est-on pas stupéfait aujourd'hui, dans un tout autre domaine, lorsqu'on revoit d'anciens films d'actualités, que des millions d'hommes aient pu se laisser prendre aux « élancements », aux « mimiques » les plus outrés de Mussolini et d'Hitler ? Ils se sont laissé prendre pourtant, et Hitler avait *aussi* de la sincérité. La sagesse de l'homme est fragile...

Orgon pousse l'aveuglement, s'appuyant sur une objection très maladroite de Mariane, jusqu'à proposer à sa propre fille l'amour avec Tartuffe comme un sacrifice au Seigneur (parce que cet amour la dégoûte) :

Debout ! Plus votre cœur répugne à l'accepter,

Plus ce sera pour vous matière à mériter :

Mortifiez vos sens avec ce mariage ! (vers 1303-1305).

Ici encore, en fait, nous nous retrouvons dans la farce tragique. Le ridicule d'une idée aussi stupide n'arrive plus à faire jaillir pour le public du XXᵉ siècle un éclat de rire libérateur. Moins aliénés que nos ancêtres (en partie grâce à Molière), mais par là même beaucoup plus sensibles qu'eux aux périls de la bêtise individuelle ou sociale, nous voyons tout de suite, concrètement, ce qui en résulte pour le malheur des êtres. Dès lors le comique est stoppé à sa source. Nous ne pensons plus à Orgon mais à sa victime Mariane, et nous la plaignons.

LE SÉRIEUX DE CLÉANTE

De toute façon, pour le rôle de Cléante, Molière est obligé d'abandonner non pas le ton de la satire, mais celui de la dénonciation par la moquerie. Rien n'indique d'ailleurs que cela lui coûte ; Molière visiblement, s'il déteste les mots creux, aime « parler » ! Ce qui ne l'empêche pas de souligner assez souvent, non sans malice, les inconséquences fréquentes des raisonneurs les plus perspicaces : tout à la joie d'exposer leurs vues, ces champions du réalisme oublient souvent les règles élémentaires de l'art de persuader ; ils « braquent » leur interlocuteur contre eux alors qu'ils doivent aussitôt après lui faire une demande assez délicate (Acte I, sc. 5). Cléante malgré son intelligence est beaucoup moins adroit avec Orgon que sa sœur Elmire avec Tartuffe.

Cléante représente-t-il les vrais dévots ? Ce n'est pas sûr du tout. Fait-il ses Pâques, comme le croit Sainte-Beuve[1] ? Nous n'en savons rien et c'est même peu probable. Qu'il passe pour libertin aux yeux des Madame Pernelle et des Orgon ne prouve assurément rien, car pour des gens pareils, comme il le dit, *« c'est être libertin que d'avoir de bons yeux »*. Mais il signerait sans doute volontiers la phrase si simple de la *Lettre sur l'Imposteur* : « *La religion n'est que la perfection de la raison.* » On juge les arbres à leurs fruits, dit l'Évangile. Cléante, comme Molière, ne juge les hommes que sur leurs actes. Il respecte, il défend, il admire les vrais dévots, modestes, humains, sans fanatisme, ceux qui méprisent le péché et non pas les pécheurs, ceux qui ne se préoccupent que de vivre le plus dignement possible sans se prétendre inspirés ni mandatés du Ciel pour quoi que ce soit (comment oser croire que c'est vraiment le Ciel qui vous inspire ? Il y faut un rude orgueil[2]). Mais Cléante respecte et défendrait sans doute

---

1. ... « Mais, cinquante ans plus tard, il ne les fera plus, certainement », ajoute Sainte-Beuve.
2. Cléante (et Molière) se taisent volontairement sur le mysticisme, dont ils se méfient sans doute beaucoup.

exactement de la même façon, dans un autre contexte, les libertins qui ont les mêmes qualités, non pas les Dom Juan certes ou ceux qui voient partout l'hypocrisie religieuse (vers 1613-1628), mais les épicuriens sincères à coup sûr. Il entend rester en tous domaines « dans la droite raison », garder quelles que soient les circonstances « les doux tempéraments » de l'honnête homme (vers 1608-1609).

En tout cas il applique lui-même dans la pièce son art de vivre. Il attaque directement Tartuffe au début du quatrième acte pour lui suggérer, dans son intérêt même, de « tout pacifier » et de faire revenir Damis (ignorant le chantage possible par la cassette, il laisse entendre que la donation d'Orgon pourra fort bien, s'il y a procès, être annulée par la justice). Par deux fois, au cinquième acte, il modère Orgon qui passe d'un extrême à l'autre et ne peut réprimer un mouvement contre le traître alors que celui-ci est enchaîné. Il envisage même — il est le seul — des remords et une conversion possible de Tartuffe instruit par ses échecs. C'est sur lui, pratiquement, que la pièce se termine : Orgon écoute enfin les conseils de Cléante, et il les suit (vers 1947 à 1962).

LA GRAND-MÈRE INTRAITABLE

Molière savait bien pourtant que, réduite à ses seuls protagonistes, cette pièce risquait de paraître trop sévère, d'emporter la conviction sans donner la joie. C'est pourquoi il a donné tous ses soins aux personnages apparemment secondaires, mais en réalité indispensables, de Madame Pernelle, de Monsieur Loyal, de Dorine.

Madame Pernelle n'a que deux scènes, Monsieur Loyal une seule, mais on ne peut pas les oublier... La vieille bigote a une santé de fer, elle traîne à sa suite cinq personnes essoufflées qui ne peuvent même pas lui dire au revoir tellement elle interrompt chacune aussitôt pour lui lancer à la face des appréciations toujours défavorables quoique toujours fondées en partie sur des données réelles. C'est le type même de la belle-mère ou grand-mère enragée[1], aussi forte en gueule que Dorine malgré son style suranné, impossible à faire taire,

1. Elle a été jouée par un homme pendant très longtemps, dans la mise en scène de Molière comme dans celle de Jouvet.

insupportable. Elle est « dure à moudre », comme disait le critique du *Monde,* Robert Kemp, et l'on comprend davantage le caractère d'Orgon avec une enfance passée sous sa férule (vers 1664). Lui du moins se méfie de ses propres colères, il essaie de les éviter ; Madame Pernelle gifle sa servante Flipote à tour de bras, pour rien, par habitude de maîtresse sans doute, par charité !

Allons, vous, vous rêvez, et bayez aux corneilles.
Jour de Dieu ! je saurai vous frotter les oreilles.
Marchons, gaupe, marchons ! (vers 169-171).

Mais Molière n'omet pas de glisser dans cette scène d'exposition si parfaitement naturelle[1], en même temps que toutes les données dont nous avons besoin sur les personnages, une remarque plus profonde concernant l'importance extrême de « l'opinion » aux yeux des dévots. La vieille dame dit à propos d'Elmire et des visites qu'elle reçoit :

Je veux croire qu'au fond il ne se passe rien ;
Mais enfin on en parle, et cela n'est pas bien (vers 91-92).

C'est l'annonce discrète, inversée mais évidente, des fameuses phrases de Tartuffe :

Vous êtes assurée ici d'un plein secret,
Et le mal n'est jamais que dans l'éclat qu'on fait ;
Le scandale du monde est ce qui fait l'offense,
Et ce n'est pas pécher que pécher en silence
(vers 1503-1506).

Mais les principes des gens têtus se modifient vite quand le vent tourne. Madame Pernelle oublie totalement au cinquième acte à propos de Tartuffe ce qu'elle disait au premier à propos d'Elmire. Elle défend avec acharnement son saint homme malgré l'éclat du scandale provoqué cette fois par les actes mêmes. Comme elle a beaucoup de maximes dans son vieux sac, elle en trouve une aussitôt pour soutenir sa thèse, et le fait qu'elle ait répété cette maxime cent fois lui paraît une preuve de plus qu'elle est excellente.

Je vous l'ai dit cent fois quand vous étiez petit :
La vertu, dans le monde, est toujours poursuivie ;
Les envieux mourront, mais non jamais l'envie
(vers 1664-1666).

1. « L'exposition du *Tartuffe* est unique au monde, disait Goethe. C'est ce qu'il y a de plus grand et de meilleur dans ce genre. »

L'ONCTION JURIDIQUE

Le portrait de Monsieur Loyal a le même rapport profond
avec le reste de la pièce. Orgon, Dorine, Cléante même se
laissent prendre quelques minutes à sa politesse profession-
nelle, à ses formules compliquées et benoîtes... d'où sur-
gissent bientôt les injonctions les plus précises.

> Salut, Monsieur. Le Ciel perde qui vous veut nuire,
> Et vous soit favorable autant que je désire ! [...]
> Ce n'est rien seulement qu'une sommation,
> Un ordre de vider d'ici, vous et les vôtres,
> Mettre vos meubles hors, et faire place à d'autres,
> Sans délai ni remise, ainsi que besoin est...
> — Moi ! sortir de céans ?
>   — Oui, Monsieur, s'il vous plaît.
> La maison à présent, comme savez de reste,
> Au bon Monsieur Tartuffe appartient sans conteste.
> De vos biens désormais il est maître et seigneur,
> En vertu d'un contrat duquel je suis porteur :
> Il est en bonne forme, et l'on n'y peut rien dire
>   (vers 1733-1734, 1748-1757).

Molière excelle à mêler ici le vocabulaire juridique et
l'onction dévote, comme il avait mêlé tout à l'heure le
vocabulaire de la galanterie aux adorations religieuses. D'autre
part, il met volontairement en relief la solidarité des gens du
même bord dans toutes les professions et entre les professions
mêmes : « *Ils connaissent combien ils se peuvent être utiles
dans les occasions en se gardant toujours le silence pour les
affaires qu'il vaut mieux ne pas répandre*[1]. » Tartuffe disparu,
et qu'on ne s'attend aucunement à voir reparaître, est comme
présent encore devant nous sur le théâtre par son associé
dévotement impitoyable. « *Monsieur Loyal est un supplément
tout à fait à sa place du caractère bigot* », continue la *Lettre
sur l'Imposteur*, il révèle « *ce qu'est l'âme de la cabale* ».

LA « MUSE COMIQUE » DE MOLIÈRE

Mais le grand personnage comique de *Tartuffe*, c'est Dorine.
Elle n'est pas du tout, comme on le dit parfois, une vieille

1. *Lettre sur l'Imposteur.*

nourrice. Si elle l'était, sa poitrine sans doute ne serait pas si généreusement découverte et Tartuffe ne la prierait point de la voiler tout en la contemplant de façon malgré lui aussi visiblement concupiscente. N'oublions pas que Dorine met encore du rouge, et des mouches (vers 206). Elle est entrée dans la maison toute jeune pour la petite Mariane, elle y a probablement rendu de grands services à Orgon pendant la Fronde et pendant son veuvage, et elle ne craint pas une seconde en tout cas d'être renvoyée quoi qu'elle puisse faire ; elle est de la famille... Mais elle est toujours du peuple ! Intelligente, très perspicace[1], et même s'étant cultivée peu à peu en même temps que Mariane (Molière n'hésitera pas à lui confier dans la version définitive de la pièce des tirades qui étaient prévues d'abord pour Cléante, vers 103-116), elle garde le parler le plus naturel, le plus dru qui soit :

A table, au plus haut bout il veut qu'il soit assis ;
Avec joie il l'y voit manger autant que six ;
Les bons morceaux de tout, il faut qu'on les lui cède ;
Et, s'il vient à roter, il lui dit : « Dieu vous aide ! »

(vers 191-194).

Mais elle peut tout aussi bien greffer une constatation générale sur un portrait qu'un mot suffit à rendre évocateur :

Daphné, notre voisine, et son petit époux
Ne seraient-ils point ceux qui parlent mal de nous ?
Ceux de qui la conduite offre le plus à rire
Sont toujours sur autrui les premiers à médire !...

(vers 103-106).

Elle domine entièrement le deuxième acte, qu'on appelle même souvent l'acte de Dorine. Contre Orgon tyrannique elle fait feu de tous les arguments possibles, avec une pétulance infatigable.

Sachez que d'une fille on risque la vertu,
Lorsque dans son hymen son goût est combattu ; [...]
Et qui donne à sa fille un homme qu'elle hait
Est responsable au Ciel des fautes qu'elle fait...

(vers 507-508, 515-516).

Mais elle a la même vigueur gauloise pour ragaillardir Mariane qui en a bien besoin, pour l'amener à la révolte :

---

1. Elle devine fort bien tout de suite que Tartuffe est amoureux d'Elmire, ou que Damis au troisième acte va tout gâter.

Non, il faut qu'une fille obéisse à son père,
Voulût-il lui donner un singe pour époux.
....
Point : Tartuffe est votre homme, et vous en tâterez.
....
    Non. Vous serez, ma foi, tartuffiée !
                     (vers 654-655, 672 ; 674).

Même lorsque Dorine se tait, lorsqu'elle laisse volontairement, par curiosité d'artiste, se dérouler la comédie du dépit amoureux entre Valère et Mariane (« *Voyons ce qui pourra de ceci réussir* »), les commentaires de ses moues et de ses œillades sont aussi éloquents que des paroles, elle joue avec le public, et elle réintervient juste au moment où il le faut pour empêcher entre les deux amoureux la bêtise irréparable qui arrangerait si bien Tartuffe.

Sans doute sa présence est-elle beaucoup plus discrète au troisième et au quatrième acte, Elmire, Tartuffe, Orgon prenant obligatoirement les rôles essentiels, mais elle égaie de nouveau tout le dernier. Elle est même sans aucune pitié pour son maître. Lorsque Madame Pernelle s'acharne à nier ce qu'il a vu, lui, de ses propres yeux vu, ce qui s'appelle vu, elle ne peut s'empêcher de lui lancer :

Juste retour, Monsieur, des choses d'ici-bas :
Vous ne vouliez point croire, et l'on ne vous croit pas
                     (vers 1695-1696).

Ou bien elle lui répète, exprès, son exclamation du « pauvre homme » (vers 1657) lorsqu'il vient d'évoquer la nouvelle richesse de Tartuffe acquise par ses propres dons ; elle l'apostrophe avec une ironie acerbe comme elle a apostrophé Mariane, mais plus durement encore, — pour le secouer, pour essayer de le guérir à jamais.

Vous vous plaignez à tort, à tort vous le blâmez,
Et ses pieux desseins par là sont confirmés :
Dans l'amour du prochain sa vertu se consomme ;
Il sait que très souvent les biens corrompent l'homme,
Et, par charité pure, il veut vous enlever
Tout ce qui vous peut faire obstacle à vous sauver
                     (vers 1815-1820).

A la vérité, par la peinture du caractère comme pour la satire proprement dite, Dorine est le plaisir de la pièce, la présence joyeuse du bon sens vainqueur de l'hypocrisie et de la bêtise même lorsqu'elle dit les choses les plus dures. Nous avons ri *de* Tartuffe, *d'*Orgon, *de* Madame Pernelle, mais nous ne rions pas *de* Dorine, nous rions *avec* elle, *en connivence et en complicité avec* elle, nous attendons ses répliques et nous avons l'impression de les avoir lancées par sa bouche, avec son rire.

Comme l'a très bien dit Sainte-Beuve, et après lui Béatrix Dussane, l'une des interprètes les plus truculentes du rôle, Dorine est l'image même de la Muse comique, de la Muse comique de Molière en tout cas, de cette bonne humeur active et gaillarde qui a toujours sauvé de la mélancolie, finalement, l'observateur des travers et des vices des hommes, — qui lui a fait gagner définitivement, en 1669, sa bataille de *Tartuffe*.

6 | Les grandes mises en scène modernes Les films, les disques, les cassettes

« *On sait bien que les comédies ne sont faites que pour être jouées*, écrit Molière en tête d'une édition de ses œuvres, *et je ne conseille de lire celles-ci qu'aux personnes qui ont des yeux pour découvrir dans la lecture tout le jeu du théâtre.* »

Si donc l'on n'est pas sûr d'avoir encore ces yeux-là, il vaudra mieux, avant de lire *Tartuffe*, le voir ou l'entendre véritablement incarné par de bons comédiens. C'est la meilleure introduction à l'étude de la pièce.

La chose est tout à fait possible aujourd'hui grâce aux différents moyens audiovisuels. Un disque Bordas, par exemple, d'un prix très accessible, présente de la pièce une interprétation excellente : **Fernand Ledoux** (Tartuffe), Renée Faure (Elmire), Christian Lude (Orgon), Rosy Varte (Dorine) (voir pages 43 et 65). Ce disque a d'ailleurs obtenu le Grand Prix International de l'Académie Charles Cros et le Prix Interclubs. La mise en scène de Fernand Ledoux a été publiée intégralement aux éditions du Seuil ; la page de droite contient le texte de la pièce, la page de gauche « tout le jeu du théâtre ».

L'autre mise en scène actuelle la plus célèbre est celle de **Roger Planchon** par le Théâtre National Populaire. Tartuffe est joué par Michel Auclair ou par Roger Planchon lui-même, Orgon par Guy 'Tréjean ou Jacques Debary, Elmire par Anouk Ferjac, Dorine par Françoise Seigner (voir page 40). Cette mise en scène a également été publiée avec le texte de la pièce sur la page de droite, des photographies et les indications scéniques sur la page de gauche (Classiques du Théâtre, Hachette ; ne pas confondre cette édition avec celle des Classiques illustrés Hachette, qui n'offre pas du tout le même intérêt).

La création de **Louis Jouvet**, en 1950, a été très discutée. Le grand acteur avait composé un Tartuffe au teint blême, pas du tout « vermeil » ni « fleuri », qu'il était absolument impossible d'imaginer rotant à table ou perdant son sang-froid devant Elmire — un fourbe extrêmement habile et sincère à la fois, « faux comme un jésuite, correct comme un notaire véreux, onctueux comme un bigot, envoûtant comme un escroc[1] »… Mais l'ensemble de la représentation, il faut le dire, était froid et triste, Dorine complètement éteinte. On trouvera les explications de Jouvet dans son *Témoignage sur le théâtre* (Flammarion) et son interprétation dans le disque Adès TS 30 LA 549.

Autre mise en scène exceptionnelle, celle de **Jean Anouilh**. La pièce était jouée dans des décors et costumes de la fin du XIXe siècle, c'est-à-dire à l'époque de la haute bourgeoisie triomphante, propice à beaucoup d'hypocrisies. François Périer jouait Tartuffe, mais il n'arrivait pas à se rendre antipathique.

La Télévision redonne assez souvent la pièce, soit dans la réalisation de **Marcel Cravenne** (Michel Bouquet patelin et méfiant, Delphine Seyrig séductrice), soit dans celle de **Jacques Charon** avec Robert Hirsch, Claude Winter, Denise Gence, Jacques Toja et Charon lui-même dans le rôle d'Orgon (voir page 65).

La Télévision diffuse aussi de loin en loin, aux séances du Cinéma de minuit, les deux *films* qui ont été tournés sur la pièce : le premier, un film muet de 1925, est une adaptation

---

1. Elsa Triolet, feuilleton dramatique des *Lettres françaises* (janvier 1950).

extrêmement libre de Molière par le réalisateur expressionniste allemand **Friedrich Murnau** : pour dissuader un vieil homme de le déshériter au profit d'une gouvernante hypocrite, son neveu lui fait jouer *Tartuffe* (théâtre dans le cinéma !) ; le faux dévot est un ancien forçat « converti », d'une monstrueuse noirceur, mais doué pourtant d'une certaine séduction bestiale... Le second film, produit par Europe N° 1 dans la série « Les Chefs-d'œuvre du Théâtre français », restitue au contraire exactement la pièce. **Jean Meyer** assure la mise en scène et joue Orgon, Jean Parédès est Tartuffe.

A l'étranger, *Tartuffe* suscite toujours des remous. Le réalisateur soviétique **Iouri Lioubimov** intègre la pièce de Molière dans un récit vivant de la bataille de 1664-1669 contre Lamoignon et Péréfixe (voir pages 20-28). Les allusions sont naturellement saisies au vol dans un pays où la censure est toujours à craindre. (On aura une idée du spectacle en lisant le compte rendu détaillé de Jacqueline Jomaron dans la revue *Travail théâtral* de l'été 1971.) En U.R.S.S. également, l'écrivain **Mikhaïl Boulgakov** avait composé en 1930 une pièce en 4 actes, *La cabale des dévots,* en même temps qu'une étude biographique, *Monsieur de Molière,* mais celles-ci n'ont été publiées qu'en 1962, longtemps après sa mort ; elles ont été traduites en français en 1972 pour les éditions Laffont.

Études spécialement intéressantes pour *Tartuffe*

ANTOINE ADAM : *Les libertins au XVIIe siècle* (Buchet-Chastel, 1974).

RAOUL ALLIER : *La cabale des dévots* (Colin, 1902 ; Slatkine, 1970).

HENRI D'ALMÉRAS : *Le Tartuffe de Molière* (Malfère, 1928).

Anonyme : *Lettre sur « L'Imposteur »*. Cette lettre de 1667, dont l'auteur était certainement très proche de Molière, figure dans la dernière édition des Œuvres complètes de Molière publiées dans la collection de la Pléiade par Georges Couton[1]. *« Il n'y a pas de document qui nous éclaire mieux la pensée de Molière »*, estime Georges Poulet (*Études sur le temps humain*, Plon, 1949).

JACQUES ARNAVON : *Tartuffe, la mise en scène rationnelle et la tradition* (Ollendorff, 1909) ; « rationnelle » signifie ici « naturaliste ».

FRANCIS BAUMAL : *Molière et les dévots* (Livre mensuel, 1919) ; *Tartuffe et ses avatars* (Nourry, 1925).

HENRI BUSSON : *La religion des classiques* (P.U.F., 1948).

JOHN CAIRNCROSS : *New light on Molière : Tartuffe* (Minard, 1956) ; *« Tartuffe » ou Molière hypocrite* (*R.H.L.F.*, août 1972).

JEAN CALVET : *Molière est-il chrétien ?* (Lanore, 1950).

SYLVIE CHEVALLEY : *Tartuffe* (Comédie-Française, 1968).

PIERRE CLARAC : *La morale de Molière d'après le Tartuffe* (*R.H.T.*, janvier 1974).

---

1. Ne pas confondre avec la première édition des Œuvres dans la Pléiade due à Maurice Rat.

GEORGES COUTON : *Réflexions sur «Tartuffe» et le péché d'hypocrisie, «cas réservé»* (*R. H. L. F.*, mai 1969).

ROLAND DERCHE : *Le problème de Tartuffe* (*Cahiers rationalistes*, août-octobre 1957).

PAUL ÉMARD : *Tartuffe, sa vie, son milieu et la comédie de Molière* (Droz, 1932).

JACQUES GUICHARNAUD : *Molière, une aventure théâtrale* (Gallimard, 1974). Analyse méthodique de trois grandes pièces : *Tartuffe, Dom Juan, Le Misanthrope.*

FRANÇOIS MAURIAC : *Trois grands hommes devant Dieu* (Hartmann, 1947). Les trois grands hommes sont Molière, Rousseau, Flaubert.

RAYMOND PICARD : *Tartuffe, «production impie»?* (Mélanges Lebègue, Nizet, 1969).

JACQUELINE PLANTIÉ : *Molière et François de Sales* (*R. H. L. F.*, août 1972). Rapprochements inattendus, un peu forcés, mais toujours intéressants, entre la «vraie dévotion» selon Cléante et la «vraie dévotion» selon saint François de Sales (béatifié en 1661, canonisé en 1665, c'est-à-dire en pleine bataille de *Tartuffe*).

SAINTE-BEUVE : Troisième partie, Livre III, ch. 15 et 16; «Portraits littéraires», tome II.

HERMANN PRINZ SALOMON : *Tartuffe devant l'opinion française* (P. U. F., 1962).

JACQUES SCHERER : *Structures de Tartuffe* (Sedès, 2e édition, 1975).

PIERRE-AIMÉ TOUCHARD : Préface de l'édition du Club des Libraires de France (1958; article sur *Tartuffe* du *Dictionnaire des personnages* (Laffont-Bompiani).

Index des thèmes

COLLECTION PROFIL

 Aubin Imprimeur
LIGUGÉ, POITIERS

Achevé d'imprimer en juin 1989
Nº d'édition 11321 / Nº d'impression L 31792
Dépôt légal juin 1989 / Imprimé en France